Edición Bilingüe
Bendecidos

Autores de la serie

Rev. Richard N. Fragomeni, Ph.D.
Maureen Gallagher, Ph.D.
Jeannine Goggin, M.P.S.
Michael P. Horan, Ph.D.

Corredactora y asesora para la Sagrada Escritura

Maria Pascuzzi, S.S.L., S.T.D.

Asesor para el patrimonio cultural hispánico y latinoamericano

Rev. Virgilio Elizondo, S.T.D., Ph.D.

The Ad Hoc Committee to Oversee the Use of the Catechism, United States Conference of Catholic Bishops, has found this catechetical series, copyright 2008, to be in conformity with the *Catechism of the Catholic Church*.

El Comité Ad Hoc para Supervisar el Uso del Catecismo, de la Conferencia de Obispos Católicos de los Estados Unidos, consideró que esta serie catequética, copyright 2008, está en conformidad con el *Catecismo de la Iglesia Católica*.

Cincinnati, Ohio

Multicultural Consultant

Angela Erevia, M.C.D.P., M.R.E.

Language Consultants

Verónica Esteban, Stefan Nikolov, Luz Nuncio Schick

Hispanic Consultants

Rev. Antonio Almonte
Humberto Ramos
Rev. Carlos Zuñiga
Consuelo Wild and the National Catholic Office for the Deaf
Mexican American Cultural Center

Music Advisors

Tony Alonso and GIA Publications

Níhil Óbstat

M. Kathleen Flanagan, S.C., Ph.D.
Censor Librorum

Imprimátur

✠ Reverendísimo Arthur J. Serratelli
Obispo de Paterson
4 de enero de 2007

El níhil óbstat y el imprimátur son declaraciones oficiales de que un libro o folleto no contiene ningún error doctrinal ni moral. Dichas declaraciones no implican que quienes han otorgado el níhil óbstat y el imprimátur estén de acuerdo con el contenido, las opiniones o los enunciados expresados.

Acknowledgments

Excerpts from *Catholic Household Blessings and Prayers* (revised edition) ©2007, United States Conference of Catholic Bishops, Washington, D.C.

Excerpts from the *New American Bible* with Revised New Testament Copyright © 1986, 1970 Confraternity of Christian Doctrine, Inc., Washington, DC. Used with permission. All rights reserved. No portion of the *New American Bible* may be reprinted without permission in writing from the copyright holder.

Excerpts from *La Biblia Latinoamericana* © 1972 by Bernardo Hurault and the Sociedad Bíblica Católica Internacional (SOBICAIN), Madrid, Spain, used with permission. All rights reserved.

All adaptations of Scripture are based on the *New American Bible* with Revised New Testament Copyright © 1986, 1970 Confraternity of Christian Doctrine, Inc., Washington, DC, and on *La Biblia Latinoamericana* © 1972.

Excerpts from the English translation of *Rite of Baptism for Children* © 1969, International Committee on English in the Liturgy, Inc. (ICEL); excerpts from the English translation of *The Roman Missal*, ©2010, ICEL. All rights reserved.

Excerpts from the Spanish translation of *Ritual para el Bautismo de los niños* © 1975, Comisión Episcopal de Pastoral Litúrgica de México and Obra Nacional de la Buena Prensa, A.C.; excerpts from the Spanish translation of *Misal Romano*, © 1975, Conferencia del Episcopado Mexicano and Obra Nacional de la Buena Prensa, A.C. All rights reserved.

Credits

COVER: Gene Plaisted, OSC/The Crosiers

SCRIPTURE ART: Diane Paterson

ALL OTHER ART: 8-9 Jaime Smith; 12-13, 17, 38-39, 98-101, 108-109, 174-175, 272-275, 328-329 Jill Dubin; 34-35, 158-159, 342-343 Bernard Adnet; 34-35, 80-81, 206-207 Lyn Martin; 40-41, 228-229, 240-241, 322-323, 336-337 Amanda Harvey; 60-61(T), 106-107 Roman Dunets; 60-61(B) Susan Gaber; 62-63, 186-187, 278-279 Nan Brooks; 66-67, 140-141, 214-215 Bernadette Lau; 68-69 Emily Thompson; 76-77(T) Burgandy Beam; 76-77(B) Ron Magnes; 86-87 Kristina Stephenson; 88-89 Pat Hoggan; 94-95, 172-173, 334-335 Anthony Lewis; 94-95 Laura Huliska-Beith; 106-107 Winifred Barnum-Newman; 112-113 Reggie Holladay; 122-123, 354-355 Terra Muzick; 126-127 Beth Foster Wiggins; 136-137 Gershom Griffith; 154-155 George Hamblin; 154-155, 182-183, 214-215 Patti Green; 160-161 Louise M. Baker; 194-195, 200-201, 400-401 Cindy Rosenheim; 218-219, 288-289 Gregg Valley; 232-233, 320-321 Dorothy Stott; 256-257, 338-339 Morella Fuenmayor; 260-261, 322-323, 352-353, 354-355 Freddie Levin; 280-281 Jane Conteh Morgan; 302-303, 362-363 Randy Chewning; 324-327, 340-342, 358-359 Phyllis Pollema-Cahill; 330-331 Donna Perrone; 332-333 Heather Graham; 416 Elizabeth Wolf

PHOTOS: Every effort has been made to secure permission and provide appropriate credit for photographic material. The publisher deeply regrets any omission and pledges to correct errors called to its attention in subsequent editions. Unless otherwise acknowledged, all photographs are the property of Scott Foresman, a division of Pearson Education.

18 Gene Plaisted, OSC/The Crosiers; 22-23(Bkgd) Micha Bar'Am/©Magnum Photos; 22-23(Inset) Nancy Pierce/Black Star; 26-27 Paul Barton/Corbis; 46-47 Myrleen Ferguson Cate/PhotoEdit; 48-49(TC) (CL) James L. Shaffer; 50-51(Bkgd) ©Tom Till/Stone; 54-55(TL) ©Elyse Lewin Studio Inc./Getty Images; 54-55(CR) J. Carini/Image Works; 54-55(BL) Jennie Woodcock/Corbis; 64-65(Bkgd) ©Gerrad Del Vecchio/Getty Images; 68-69(T) Jim Zuckerman/Corbis; 74-75 Myrleen Ferguson Cate/PhotoEdit; 78-79(Bkgd) Stephen Simpson/Getty Images; 82-82(Bkgd) ©Sonia Halliday Photographs; 82-82(Bkgd) Bob Daemmrich/Stock Boston; 96-97(Bkgd) ©Terry Donnelly; 110-111(Bkgd) Tom Blagden/©Larry Ulrich Stock; 124-125(Bkgd) NRNPNX/Index Stock Imagery; 128-129(T) ©Charles Gupton/Stock Boston/Stock Boston; 138-138(Bkgd) Werner H. Muller/Peter Arnold, Inc.; 142-143(Bkgd) Rene Burri/©Magnum Photos; 142-143(Inset) Jim Whitmer; 146-147(CL) Mary Kate Denny/PhotoEdit; 146-147(CR) ©John Terence Turner/Getty Images; 156-157 ©Danny Lehman/Corbis; 162-163 SuperStock; 164-165 Myrleen Ferguson Cate/PhotoEdit; 166-167(B) Michael O'Neill McGrath, OSFS; 166-167(T) Saint Katharine Drexel Guild; 170-171 CP George/Visuals Unlimited; 184-185 136(Bkgd) SuperStock; 188-189(TR) Jim Whitmer; 188-189(CR) Robin RUdd/Unicorn Stock Photos; 188-189 Myrleen Ferguson Cate/PhotoEdit; 188-189(CL) Myrleen Cate/PhotoEdit; 198-199(Bkgd) SuperStock; 202-203(Bkgd) Z. Radovan, Jerusalem; 202-203(Inset) Myrleen Cate/Photo Network/Jupiter Images; 216-217 Robert Landau/Corbis; 220-221(B) ©George Kamper/Getty Images/Stone; 220-221(CL) Benjamin Fink/Foodpix/Jupiter Images; 220-221(CR) David Young-Wolff/PhotoEdit; 222-225(B) Gene Plaisted/The Crosiers/Catholic News Service; 230-231(Bkgd) Erich Lessing/PhotoEdit; 235-235 Bob Daemmrich/Image Works; 244-245 Tony Arruza/Corbis; 248-249 ©Lynne Siler/Focus Group/Jupiter Images; 254-255 Courtesy Mr. and Mrs. Edwin Pacheco; 258-259(Bkgd) Gene Plaisted, OSC/The Crosiers; 262-262(Bkgd) Thomas Nebbia/NGS Image Collection; 262-262(Inset) Myrleen Ferguson Cate/PhotoEdit; 266-267(L) Laura Dwight/PhotoEdit; 266-267(R) Ellen Senisi/Image Works; 276-277 Erich Lessing/Art Resource, NY; 290-291(Bkgd) Alfred B. Thomas/Animals Animals/Earth Scenes; 294-295(BR) Antoine Gyori/Corbis; 294-295(CL) Brooks Kraft/Corbis; 294-295(TR) Christopher Morris/Black Star; 300-301 ©Frank Fournier/Contact Press Images/Picturequest/Jupiter Images; 305-306 Getty Images; 308-309(L) Milt & Joan Mann/Cameramann International, Ltd.; 308-309(R) PhotoDisc; 330-331(T) ©Blend Images/Alamy; 330-331(B) Jeff Greenberg/AGE Fotostock; 344-345 Mryleen Ferguson Cate/PhotoEdit; 348-349 Skjold Photographs; 356-357 Luis Elvir/AP/Wide World; 360-361 Unterlinden Museum Colmar/ Album/ Joseph Martin/The Art Archive; 364-365(T) Tim Graham/Alamy Images; 364-365(B) ©Alan Oddie/PhotoEdit; 366-367(T) ©Mary Kate Denny/Getty Images/Stone; 366-367 Skjold Photographs; 370-371(T) ©Catholic News Service; 370-371(C) ©W.P. Wittman; 376-377(B) ©Masterfile Royalty-Free; 376-377(C) Gene Plaisted, OSC/The Crosiers; 378-379(BC) ©W.P. Wittman; 388-389(B) Bob Daemmrich/Stock Boston; 392-393(T) ©W.P. Wittman; 394-395(B) Alan Odie/PhotoEdit; 398-399(T) Myrleen Cate/PhotoEdit; 398-399(B) Myrleen Cate/PhotoEdit

CONTENIDO

DÍAS FESTIVOS Y TIEMPOS

NUESTRA HERENCIA CATÓLICA

Organizado de acuerdo con los 4 pilares del Catecismo

CONTENTS

FEASTS AND SEASONS

OUR CATHOLIC HERITAGE

Organized according to the 4 pillars of the Catechism

La Biblia
The Bible

Oh, Dios, escucharemos tus palabras.

Basado en el Salmo 85:9

O God, we will listen to your words.

Based on Psalm 85:9

La Biblia

La Biblia es un libro especial acerca de Dios. Tiene dos partes, que se llaman Antiguo Testamento y Nuevo Testamento.

Los relatos del Antiguo Testamento hablan acerca del amor de Dios por su pueblo, antes de que Jesús naciera.

La historia de Noé

The Bible

The Bible is a special book about God. It has two parts called the Old Testament and the New Testament.

The stories in the Old Testament tell about God's love for his people before Jesus was born.

The Story of Noah

El Nuevo Testamento

Los relatos del Nuevo Testamento hablan acerca de la vida de Jesús y de sus enseñanzas.

Aprenderás más sobre la Biblia en el Capítulo 3.

Jesús cuenta un relato

The New Testament

The stories in the New Testament tell about the life of Jesus and his teachings.

You will learn more about the Bible in Chapter 3.

Jesus Tells a Story

OREMOS

La Señal de la Cruz

En el nombre del Padre
y del Hijo
y del Espíritu Santo.
Amén.

LET US PRAY

The Sign of the Cross

In the name of the Father,
and of the Son,
and of the Holy Spirit.
Amen.

El Padre Nuestro

Padre nuestro, que estás en el cielo,
santificado sea tu Nombre;
venga a nosotros tu reino;
hágase tu voluntad
en la tierra como en el cielo.
Danos hoy nuestro pan de cada día;
perdona nuestras ofensas,
como también nosotros perdonamos
a los que nos ofenden;
no nos dejes caer en la tentación,
y líbranos del mal.
Amén.

The Lord's Prayer

Our Father,
who art in heaven,
hallowed be thy name;
thy kingdom come,
thy will be done on earth
as it is in heaven.
Give us this day
our daily bread,
and forgive us our trespasses,
as we forgive those
who trespass against us;
and lead us not
into temptation,
but deliver us from evil.
Amen.

El Ave María

Dios te salve, María, llena eres
de gracia;
el Señor es contigo.
Bendita Tú eres entre todas
las mujeres,
y bendito es el fruto
de tu vientre, Jesús.
Santa María, Madre de Dios,
ruega por nosotros, pecadores,
ahora y en la hora de
nuestra muerte.
Amén.

Gloria al Padre

Gloria al Padre
y al Hijo
y al Espíritu Santo.
Como era en el principio,
ahora y siempre,
por los siglos de los siglos.
Amén.

The Hail Mary

Hail, Mary, full of grace,
the Lord is with thee.
Blessed art thou among
women
and blessed is the fruit
of thy womb, Jesus.
Holy Mary, Mother of God,
pray for us sinners,
now and at the hour
of our death.
Amen.

Glory Be

Glory be to the Father
and to the Son
and to the Holy Spirit,
as it was in the beginning
is now,
and ever shall be
world without end.
Amen.

Las Últimas Siete Palabras de Cristo

Primera Palabra
"Padre, perdónalos, porque no saben lo que hacen."

Segunda Palabra
"Hoy mismo estarás conmigo en el Paraíso."

Tercera Palabra
"Mujer, ahí tienes a tu hijo... ahí tienes a tu madre."

Cuarta Palabra
"Dios mío, Dios mío, ¿por qué me has abandonado?"

Quinta Palabra
"Tengo sed."

Sexta Palabra
"Todo está cumplido."

Séptima Palabra
"Padre, en tus manos encomiendo mi espíritu."

Oración a Nuestra Señora de Guadalupe

Salve, ¡oh, Virgen de Guadalupe, Emperatriz de las Américas!
Mantén por siempre bajo tu poderoso patronato la pureza y la integridad de nuestra Santa Fe en todo el continente americano.
Amén.

Papa Pío XII
Versión traducida

The Seven Last Words of Christ

First Word
"Father, forgive them, they know not what they do."

Second Word
"Today you will be with me in Paradise."

Third Word
"Woman, behold, your son… Behold, your mother."

Fourth Word
"My God, my God, why have you forsaken me?"

Fifth Word
"I thirst."

Sixth Word
"It is finished."

Seventh Word
"Father, into your hands I commend my spirit."

Prayer to Our Lady of Guadalupe

Hail, O Virgin of Guadalupe,
Empress of America!
Keep forever under your powerful patronage the purity and integrity of Our Holy Faith on the entire American continent.
Amen.

Pope Pius XII

Bendecidos

*Repita última vez

Texto: David Haas, trad. por Ronald F. Krisman
Música: David Haas

Blest Are We

Text: David Haas
Tune: David Haas

La comunidad de nuestra Iglesia

Junto con nuestra familia, pertenecemos a la comunidad de nuestra iglesia parroquial. Juntos venimos a agradecer y a alabar a Dios. Cuidamos de las necesidades de los demás.

Soy el Buen Pastor. Los conozco por su nombre.
Cuido de ustedes. Me pertenecen.

Basado en Juan 10:14–15

Jesús cuida de cada uno de nosotros igual que el pastor de la ilustración cuida de sus ovejas. Seguimos a Jesús cuando cuidamos de las personas de la comunidad de nuestra iglesia.

Our Church Community

UNIT 1

With our families, we belong to our parish church community. We come together to thank and praise God. We care for one another's needs.

I am the Good Shepherd. I know you by name.
I care about you. You belong to me.
Based on John 10:14–15

Jesus cares for each of us just as the shepherd in the picture cares for his sheep. We follow Jesus when we care for people in our church community.

Somos su pueblo

ESTRIBILLO OSTINATO

ESTROFAS

1. Tierra entera, aclama al Señor, al Señor.
   Sírvanlo con alegría, jubilosos lleguen a Dios.

2. ¡Nuestro Señor es Dios! ¡Nuestro Señor es Dios!
   Nos hizo, y somos su pueblo, y ovejas de su rebaño.

3. Entren por sus puertas dándole gracias, dando gracias.
   En atrios suyos alaben y bendigan al Señor.

4. Cuán bueno es Dios, el Señor. Eterna es su misericordia.
   Por los siglos de los siglos dura su fidelidad.

We Are God´s People

VERSES

1. Cry out with joy to the Lord, all you lands, all you lands.
   Serve the Lord now with gladness, come before God singing for joy!

2. Know that the Lord is God! Know that the Lord is God,
   who made us, to God we belong, God's people, the sheep of the flock!

3. Go, now within the gates giving thanks, giving thanks.
   Enter the courts singing praise, give thanks and bless God's name!

4. Indeed, how good is the Lord, whose mercy endures for ever,
   for the Lord is faithful, is faithful from age to age!

1 Pertenecemos a la Iglesia de Jesús

Te llamo por tu nombre. Tú eres mío.

Basado en Isaías 43:1

Compartimos

Todos pertenecemos a una familia.

A las familias les gusta reunirse para hacer cosas.

Mira la fotografía. Habla sobre las familias que ves.

Dibuja a tu familia en el picnic.

1 We Belong to Jesus' Church

I call you by name. You are mine.

Based on Isaiah 43:1

Share

Everyone belongs to a family.

Families like doing things together.

Look at the picture. Tell about the families you see.

Draw your family at the picnic.

Escuchamos y creemos

La Escritura El Buen Pastor

Los pastores cuidan ovejas. Un buen pastor conoce a cada oveja por su nombre. Las ovejas vienen cuando oyen la voz del pastor.

Un día, Jesús les dijo a sus amigos: "Yo soy el Buen Pastor. Los conozco por su nombre. Cuido de ustedes. Me pertenecen".

Basado en Juan 10:2–14

Hear & Believe

Scripture The Good Shepherd

Shepherds take care of sheep. A good shepherd knows each sheep by name. The sheep come when they hear the shepherd's voice.

One day, Jesus said to his friends, "I am the Good Shepherd. I know you by name. I care for you. You belong to me."

Based on John 10:2–14

Seguimos a Jesús

Jesús es como un buen pastor. Nosotros somos como las ovejas. Jesús nos llama por nuestro nombre. Nos ama y cuida de nosotros. Nosotros seguimos a Jesús.

Nuestra Iglesia nos enseña

La **Iglesia Católica** es una comunidad. Una **comunidad** es un grupo de personas unidas por un interés común. La comunidad de nuestra iglesia está formada por personas que siguen a Jesús. Amamos y cuidamos de los demás. Somos católicos.

Creemos

La Iglesia es la comunidad de personas que siguen a Jesús. Jesús nos llama para seguirlo.

Palabras de fe

Iglesia Católica
La Iglesia Católica es la comunidad de los seguidores de Jesús. Pertenecemos a la Iglesia Católica.

We Follow Jesus

Jesus is like a good shepherd.
We are like the sheep.
Jesus calls us by name.
He loves us and cares for us.
We follow Jesus.

We Believe

The Church is the community of people who follow Jesus. Jesus calls us to follow him.

Our Church Teaches

The **Catholic Church** is a community. A **community** is a group of people who belong together. Our church community is made up of people who follow Jesus. We love and care for others. We are called Catholics.

Faith Words

Catholic Church
The Catholic Church is the community of Jesus' followers. We belong to the Catholic Church.

Respondemos

Una mañana de domingo

Una mañana de domingo, Sam y sus padres fueron a una nueva iglesia. Algunas personas les sonrieron. Algunas les dijeron "Hola".

"¿Por qué nos sonrieron esas personas?", preguntó Sam. "¿Por qué nos dijeron 'Hola'?"

La madre de Sam dijo: "Todos somos seguidores de Jesús. Nuestra Iglesia es como una gran familia. Cuidamos los unos de los otros".

Pronto Sam sonrió.

? ¿Por qué crees que Sam comenzó a sonreír?

Respond

One Sunday Morning

One Sunday morning, Sam and his parents went to a new church. Some people smiled at them. Some said, "Hi."

"Why did those people smile at us?" Sam asked. "Why did they say, "Hi."

Sam's mother said, "We are all followers of Jesus. Our Church is like a big family. We care about each other."

Soon Sam had a smile on his face.

? Why do you think Sam began to smile?

Actividades

1. Di cómo estas personas siguen a Jesús. Traza una línea desde cada imagen hasta la palabra que le corresponde.

2. Escribe aquí tu nombre.

Activities

1. Tell how these people follow Jesus.
   Draw a line from each picture to its word.

2. Write your first name here.

Celebración de la oración

La Señal de la Cruz

Nosotros usamos una señal especial para mostrar que pertenecemos a la Iglesia Católica. Di las palabras y usa tu mano derecha para hacer la Señal de la Cruz.

En el nombre del Padre

y del Hijo

y del Espíritu

Santo.

Amén.

Prayer Celebration

The Sign of the Cross

We use a special sign to show that we belong to the Catholic Church. Say the words and use your right hand to make the Sign of the Cross.

In the name of the Father

and of the Son

and of the Holy

Spirit.

Amen.

La fe en acción

Cuidar y compartir La Parroquia Our Lady of Mercy tiene un grupo de "Cuidar y compartir". Los miembros ayudan a personas enfermas y con hambre. También ayudan a otras personas.

En tu parroquia

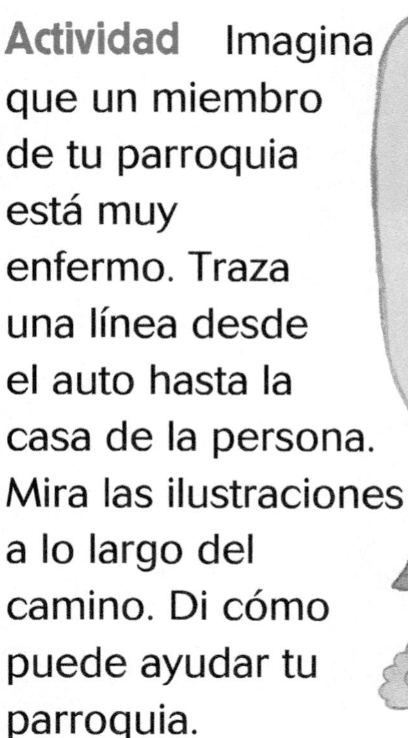

Actividad Imagina que un miembro de tu parroquia está muy enfermo. Traza una línea desde el auto hasta la casa de la persona. Mira las ilustraciones a lo largo del camino. Di cómo puede ayudar tu parroquia.

En la vida diaria

Actividad Piensa en alguien que sepas que necesita ayuda. ¿Qué tipo de ayuda necesita esta persona? ¿Cómo puedes ayudar tú?

Faith in Action

Caring and Sharing Our Lady of Mercy Parish has a "Caring and Sharing" group. The members help sick and hungry people. They help other people, too.

In Your Parish

Activity Imagine that a member of your parish is very sick. Draw a line from the car to the person's house. Look at the pictures along the way. Tell how your parish can help.

In Everyday Life

Activity Think of someone you know who needs help. What kind of help does this person need? How can you help?

2 Nos reunimos para celebrar la Misa

Cuando se reúnen en mi nombre, estoy con ustedes.

Basado en Mateo 18:20

Compartimos

Los católicos se reúnen en la iglesia.
Mira estas iglesias.
¿En qué se parecen?
¿En qué se diferencian?

Encierra en un círculo la cruz de cada iglesia. Luego sigue los puntos para trazar la cruz en el medio de la página.

2 We Gather to Celebrate Mass

When you gather in my name, I am with you.

Based on Matthew 18:20

Share

Catholics gather together in church.
Look at these churches.
How are they alike?
How are they different?

Circle the cross on each church. Then follow the dots to draw the cross in the middle of the page.

Escuchamos y creemos

El culto Nos reunimos

Todas las semanas, nuestra comunidad católica se reúne en la **iglesia**. Nos reunimos para celebrar la **Misa**.

Comenzamos la Misa con una canción. Luego el sacerdote y las personas rezan estas oraciones.

Sacerdote: En el nombre del Padre, y del Hijo, y del Espíritu Santo.

Personas: Amén.

Sacerdote: La gracia y la paz de parte de Dios, nuestro Padre, y de Jesucristo, el Señor, estén con todos vosotros.

Personas: Y con tu espíritu.

Ordinario de la Misa

Hear & Believe

Worship We Gather Together

Each week our Catholic community gathers in **church**. We gather to celebrate **Mass**.

We begin Mass with a song. Then the priest and the people pray these prayers.

Priest: In the name of the Father, and of the Son, and of the Holy Spirit.

People: Amen.

Priest: Grace to you and peace from God our Father and the Lord Jesus Christ.

People: And with your spirit.

The Order of Mass

El comienzo de la Misa

El sacerdote comienza la Misa con la Señal de la Cruz. Dice las palabras. Hacemos la Señal de la Cruz. Decimos "Amén". Luego el sacerdote pide a Dios que nos bendiga con la paz. Le pedimos a Dios que bendiga al sacerdote.

Nuestra Iglesia nos enseña

Nuestra comunidad católica se llama **parroquia**. Jesús está con nosotros cuando nos reunimos en nuestra iglesia parroquial. Está con nosotros cuando rezamos. Está con nosotros cuando nuestra comunidad parroquial se reúne en la Misa.

Creemos

Jesús está con nosotros cuando nos reunimos en nuestra iglesia parroquial.

Palabras de fe

parroquia
Una parroquia es un grupo de católicos que pertenecen a la misma comunidad de una iglesia.

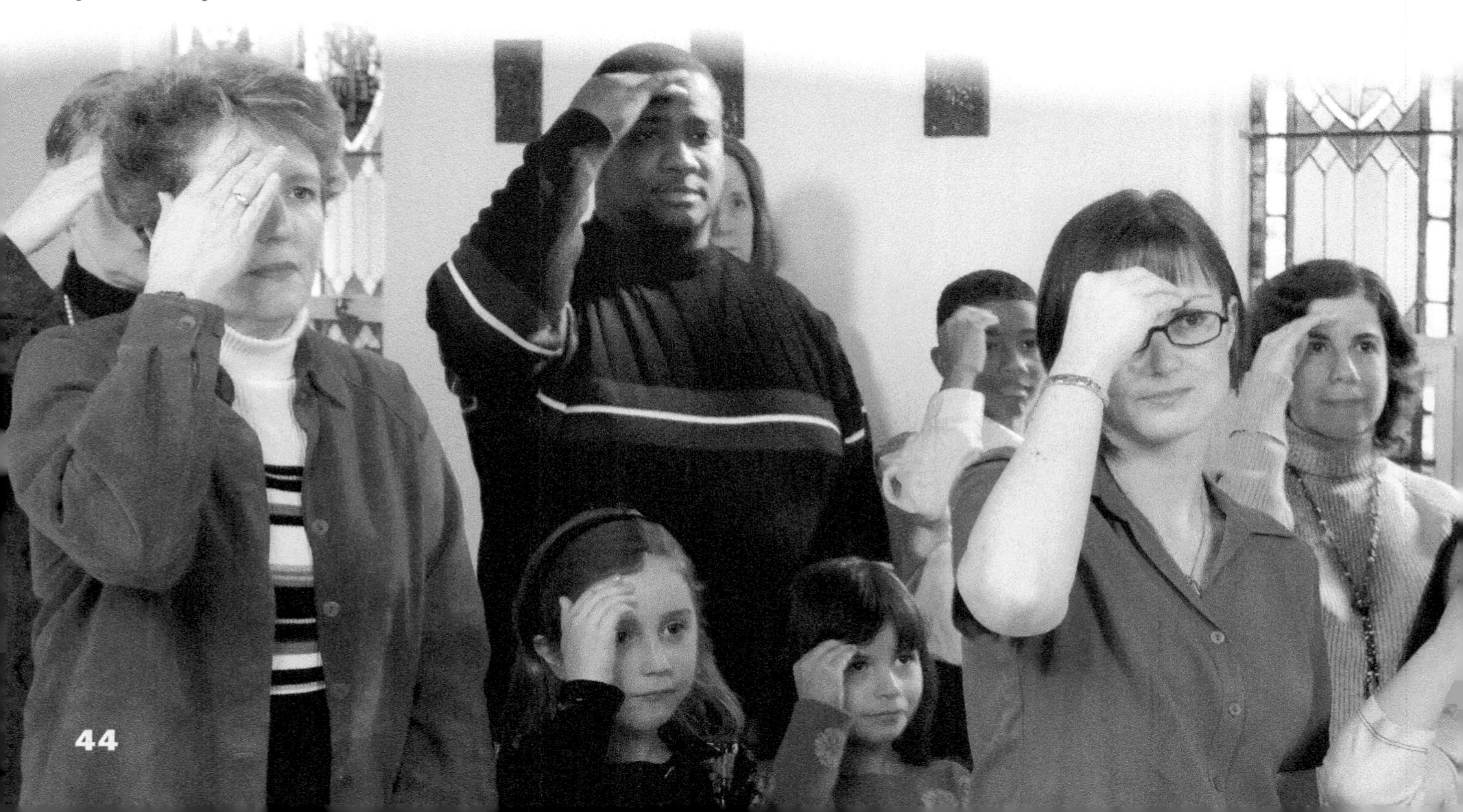

The Beginning of Mass

The priest begins Mass with the Sign of the Cross. He says the words. We make the Sign of the Cross. We say, "Amen." Then the priest asks God to bless us. We ask God to bless the priest.

We Believe

Jesus is with us when we gather in our parish church.

Faith Words

parish
A parish is a group of Catholics who belong to the same church community.

Our Church Teaches

Our Catholic community is called a **parish**. Jesus is with us when we gather in our parish church. He is with us when we pray. He is with us when our parish community gathers at Mass.

Respondemos

La parroquia de María

Todos los domingos, María y su familia van a la iglesia. Pertenecen a la Parroquia Santa Ana. A María le gusta cantar y rezar con la comunidad de su parroquia. Le gusta conocer de qué formas su parroquia ayuda a las personas. María está feliz de pertenecer a la Parroquia Santa Ana.

 ¿Qué te gusta de tu parroquia?

Actividad

Escribe el nombre de tu iglesia parroquial.

____

____

Respond

Maria's Parish

Every Sunday, Maria and her family go to church. They belong to Saint Ann's Parish. Maria likes to sing and pray with her parish community. She likes to hear about ways her parish helps people. Maria is happy to belong to Saint Ann's Parish.

? What do you like about your parish?

Activity

Write the name of your parish church.

____

____

____

Dentro de una iglesia católica

Las iglesias parroquiales se ven diferentes por fuera. Pero tienen muchas cosas iguales por dentro. Estas cosas nos ayudan a rezar. Nos ayudan a celebrar la Misa. Éstas son algunas de las cosas de la iglesia de María.

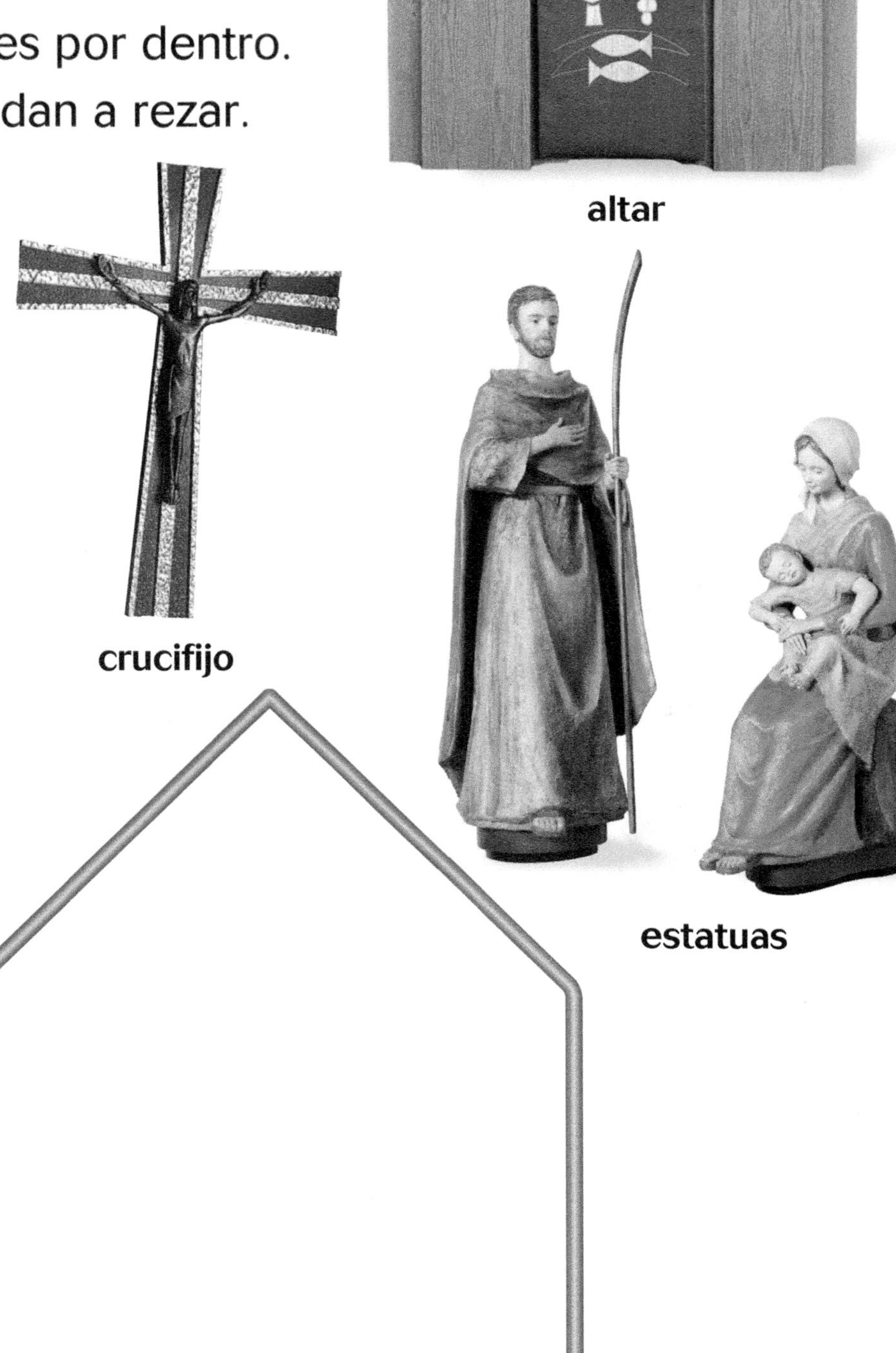

altar

crucifijo

estatuas

pila bautismal

Actividad

Dibuja otra cosa que haya en tu iglesia.

Inside a Catholic Church

Parish churches look different on the outside. But they have many things the same on the inside. These things help us pray. They help us celebrate Mass. Here are some of the things in Maria's church.

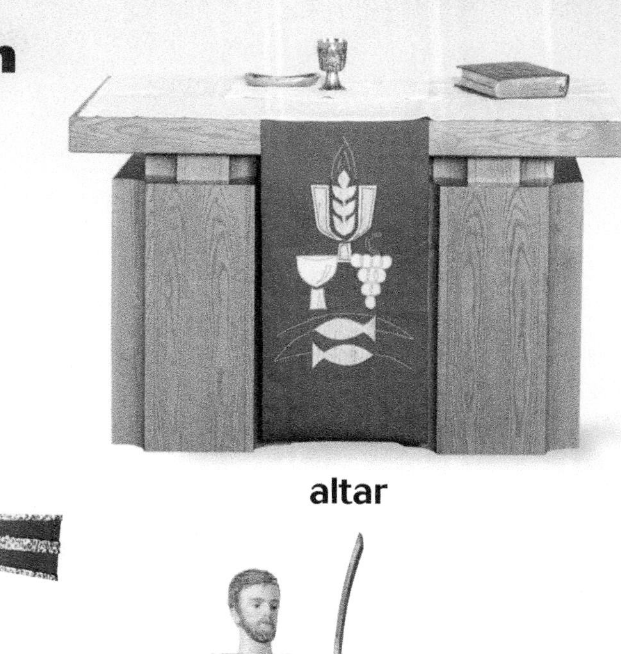

altar

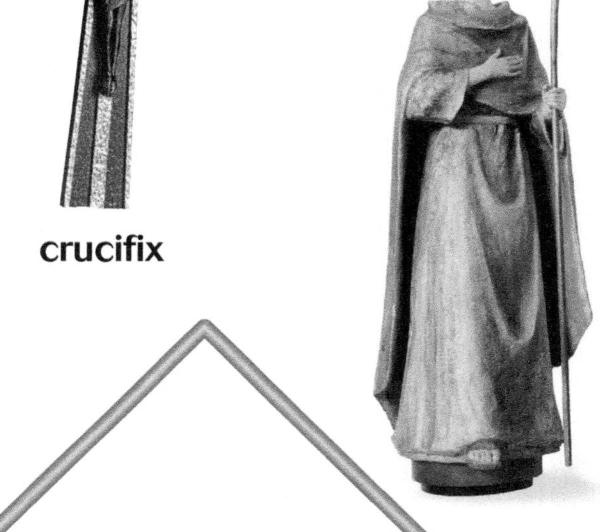

crucifix

statues

baptismal font

Activity

Draw something else that is in your church.

Celebración de la oración

Una oración de bendición

Dios nos da muchos dones. Los llamamos bendiciones de los dones de Dios.

Una **bendición** puede ser también una oración. Algunas oraciones de bendición piden el cuidado de Dios. Otras bendicen a Dios. Recemos esta oración para bendecir a Dios.

Líder: Por nuestra comunidad parroquial,

Todos: Bendito sea el Señor.

Líder: Por nuestra familia y nuestros amigos,

Todos: Bendito sea el Señor.

Líder: Por el don de Jesús,

Todos: Bendito sea el Señor.

Niño: Por (nombra un don),

Todos: Bendito sea el Señor.

Prayer Celebration

A Blessing Prayer

God gives us many gifts. We call God's gifts blessings. A **blessing** can also be a prayer. Some blessing prayers ask for God's care. Others bless God. Let us pray this prayer to bless God.

Leader: For our parish community,

All: **Blessed be God.**

Leader: For our families and friends,

All: **Blessed be God.**

Leader: For the gift of Jesus,

All: **Blessed be God.**

Child: For (name a gift),

All: **Blessed be God.**

La fe en acción

Una iglesia hermosa Muchas parroquias tienen un grupo de personas que decoran la iglesia. Durante el Adviento, arman una corona de Adviento. Para la Pascua, usan flores primaverales y hacen carteles alegres. El grupo hace que su iglesia se vea hermosa en cada tiempo sagrado.

Actividad Cierra los ojos. Imagínate un cuarto de tu casa. Piensa en uno de los tiempos sagrados. ¿Cómo podrías decorar el cuarto para este tiempo? Comenta tus ideas.

En tu parroquia

Actividad Haz un cartel para decorar la iglesia en Adviento, Navidad, Cuaresma o Pascua. Escribe el nombre del tiempo sagrado en tu cartel.

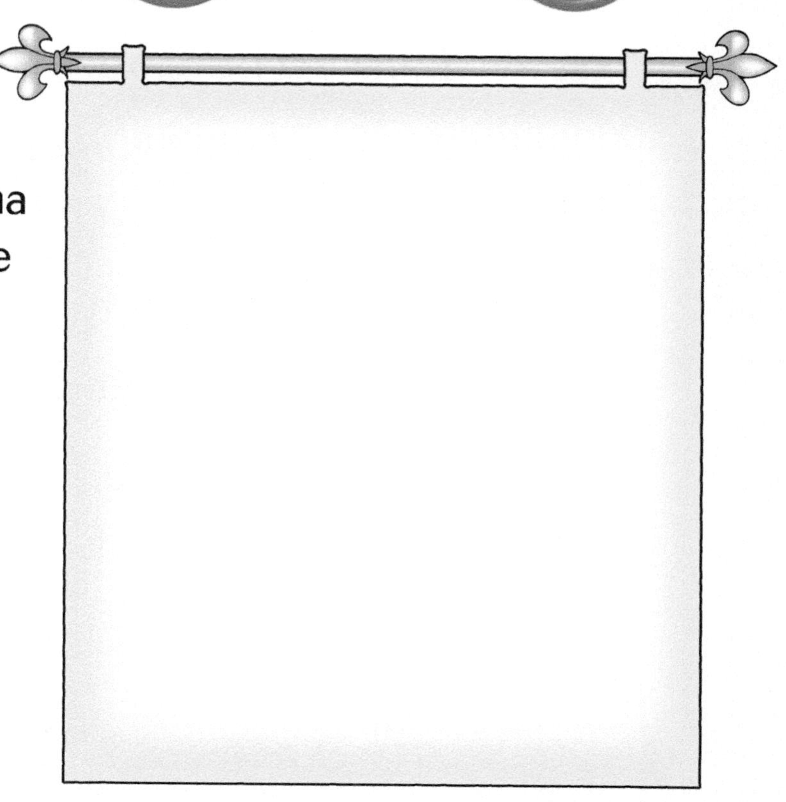

A Beautiful Church Many parishes have a group of people who decorate the church. In Advent they set up an Advent wreath. For Easter they use spring flowers and make joyful banners. The group makes their church look beautiful for each holy season.

Activity Close your eyes. Picture a room in your house. Think about one of the holy seasons. How could you decorate the room for this season? Tell about your ideas.

In Your Parish

Activity Decorate a church banner for Advent, Christmas, Lent, or Easter. Write the name of the holy season on your banner.

3 La Palabra de Dios nos enseña

Escucha la palabra de Dios y cúmplela.
Entonces serás bendecido.

Basado en Lucas 11:28

Compartimos

Aprendemos de muchas maneras.
Mira las fotografías.
Di cómo aprende cada niño.
Encierra en un círculo tu forma preferida de aprender.

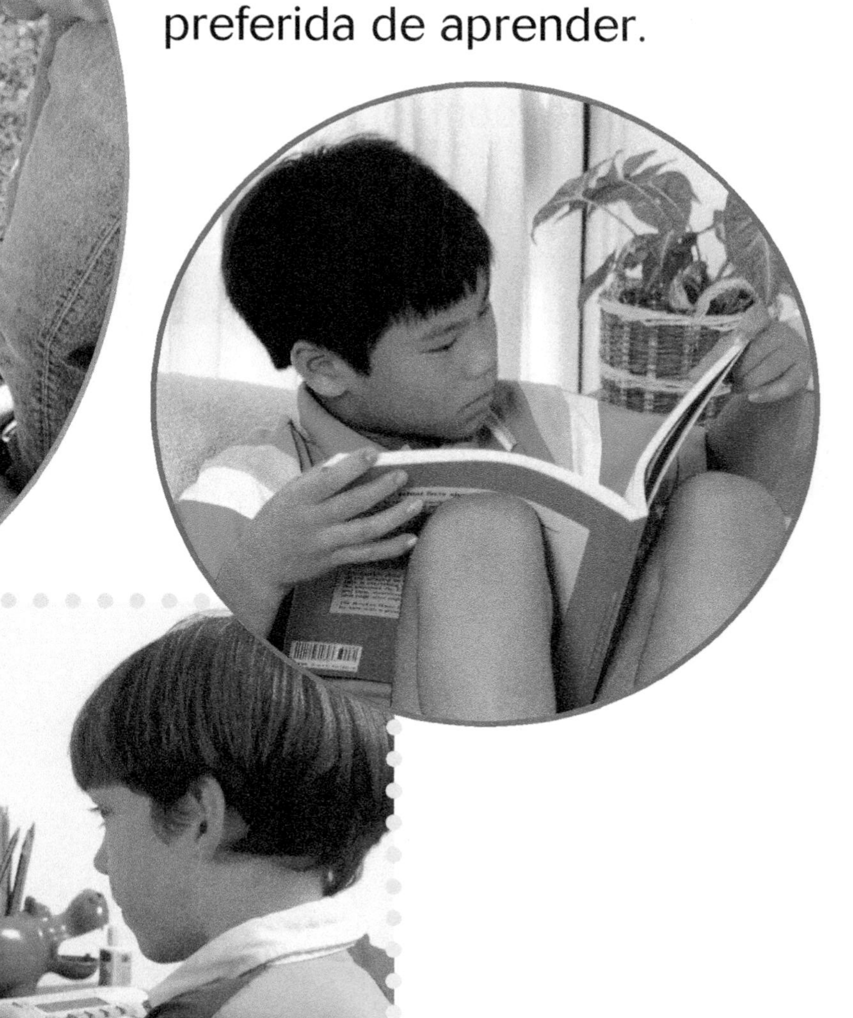

3 God's Word Teaches Us

Hear God's word and keep it.
Then you will be blessed.

Based on Luke 11:28

Share

We learn in many ways.
Look at the pictures.
Tell how each child learns.
Circle your favorite way to learn.

Escuchamos y creemos

La Escritura Un hombre aprende acerca de Dios

Un día un hombre estaba volviendo a su casa en África. Viajaba en carro. El hombre iba leyendo su Biblia. Felipe vio al hombre y corrió hacia el carro.

"¿Entiendes el relato de la Biblia?", preguntó Felipe.

"No", dijo el hombre. "Necesito ayuda".

Felipe subió al carro. Le habló al hombre acerca del amor de Dios. Le habló acerca de Jesús.

El hombre de África se convirtió en seguidor de Jesús. Se hizo miembro de la Iglesia.

Basado en Hechos 8:26–40

Hear & Believe

Scripture A Man Learns About God

One day a man was on his way home to Africa. He was riding in a chariot. The man was reading his Bible. Philip saw the man and ran up to the chariot.

"Do you understand the Bible story?" Philip asked.

"No," the man said. "I need help."

Philip got into the chariot. He told the man about God's love. Philip told the man about Jesus.

The man from Africa became a follower of Jesus. He became a member of the Church.

Based on Acts 8:26–40

Aprender acerca de Dios

El hombre de África quería aprender acerca de Dios. Felipe lo ayudó a entender un relato de la **Biblia**. Lo ayudó a que se hiciera un seguidor de Jesús.

Nosotros escuchamos la Biblia en la Misa. El sacerdote o el diácono nos cuenta relatos de la Biblia. Nos ayuda a aprender cómo seguir a Jesús.

Creemos

Dios nos habla a través de la Biblia. Las lecturas de la Misa nos enseñan acerca del amor de Dios y nos ayudan a aprender cómo seguir a Jesús.

Nuestra Iglesia nos enseña

La Biblia es la Palabra de Dios. Dios eligió a personas especiales para que escribieran la Biblia. Los relatos de la Biblia nos enseñan acerca del amor de Dios. Nos enseñan cómo amar a los demás. Cuando escuchamos la Palabra de Dios, creemos que Dios nos habla.

Palabras de fe

Biblia
La Biblia es la Palabra de Dios escrita. Dios eligió a personas especiales para que escribieran la Biblia.

Learning About God

The man from Africa wanted to learn about God. Philip helped the man understand a story in the **Bible**. He helped the man become a follower of Jesus.

We listen to the Bible at Mass. The priest or deacon tells us about the Bible story. He helps us learn how to follow Jesus.

Our Church Teaches

The Bible is the Word of the God. God chose special people to write the Bible. Stories in the Bible teach us about God's love. They teach us how to love others. When we listen to the Word of God, we believe God speaks to us.

We Believe

God speaks to us through the Bible. The readings at Mass teach us about God's love and help us learn how to follow Jesus.

Faith Words

Bible
The Bible is the written Word of God. God chose special people to write the Bible.

Respondemos

San Agustín

Cuando Agustín era joven, muchas veces se metía en problemas. Hacía muchas cosas egoístas. Un día Agustín se sentó en su jardín. Estaba muy triste. Su buen amigo había muerto. Agustín oyó a un niño cantar las palabras “¡Toma y lee!”. Agustín vio la Biblia de su madre sobre una mesa. Empezó a leerla. Empezó a entender la Palabra de Dios.

Agustín escuchó con atención los relatos de la Biblia en la Misa. Cambió su vida. Dejó de ser egoísta. Comenzó a seguir a Jesús.

¿Cómo cambió a Agustín la Palabra de Dios?

Respond

Saint Augustine

When Augustine was young, he often got into trouble. He did many selfish things.

One day, Augustine sat in his garden. He was very sad. His good friend had died. Augustine heard a child sing the words, "Take and read!" Augustine saw his mother's Bible on a table. He began to read it. He began to understand God's word.

Augustine listened carefully to the Bible stories at Mass. He changed his life. He stopped being selfish. He began to follow Jesus.

? How did the Word of God change Augustine?

Actividades

1. En la Misa, nuestra comunidad parroquial escucha la Palabra de Dios. Dibújate en la ilustración. Luego dibuja a tu familia y a tus amigos.

2. ¿Cómo puedes oír la Palabra de Dios?
   Traza una línea por los puntos de las letras para averiguarlo.

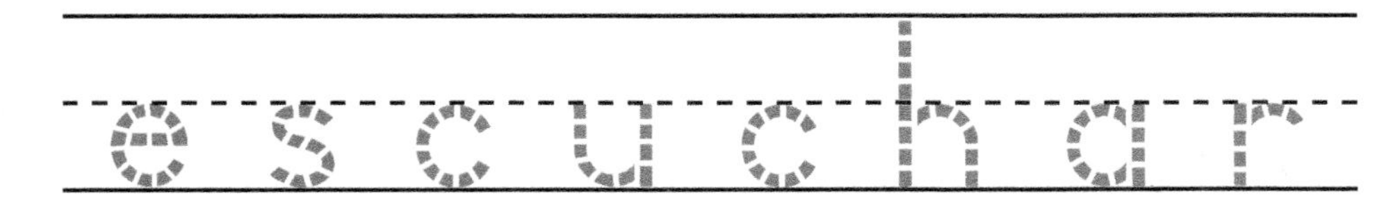

Activities

1. At Mass our parish community listens to God's word. Draw yourself in the picture. Then draw your family and friends.

2. How can you hear God's word?
Trace the dotted letters to find out.

listen

Celebración de la oración

Una oración para escuchar

Líder: Oh, Dios, abre nuestros oídos para que podamos escucharte.

Todos: **Ayúdanos a escuchar tu palabra.**

Líder: Escuchen la Palabra de Dios. Luego piensen sobre lo que escucharon.

Lector: Actúen como hijos de Dios. Obedezcan a sus padres. Amen a los demás, tal como lo hizo Jesús.

Basada en Efesios 5:1, 6:1

Lector (Levanta la Biblia.): Palabra del Señor.

Todos: **Demos gracias a Dios.**

(Pausa)

Líder: Oh, Dios, felices somos los que escuchamos tu palabra y la guardamos.

Todos: **Oh, Dios, felices somos los que escuchamos tu palabra y la cumplimos.**

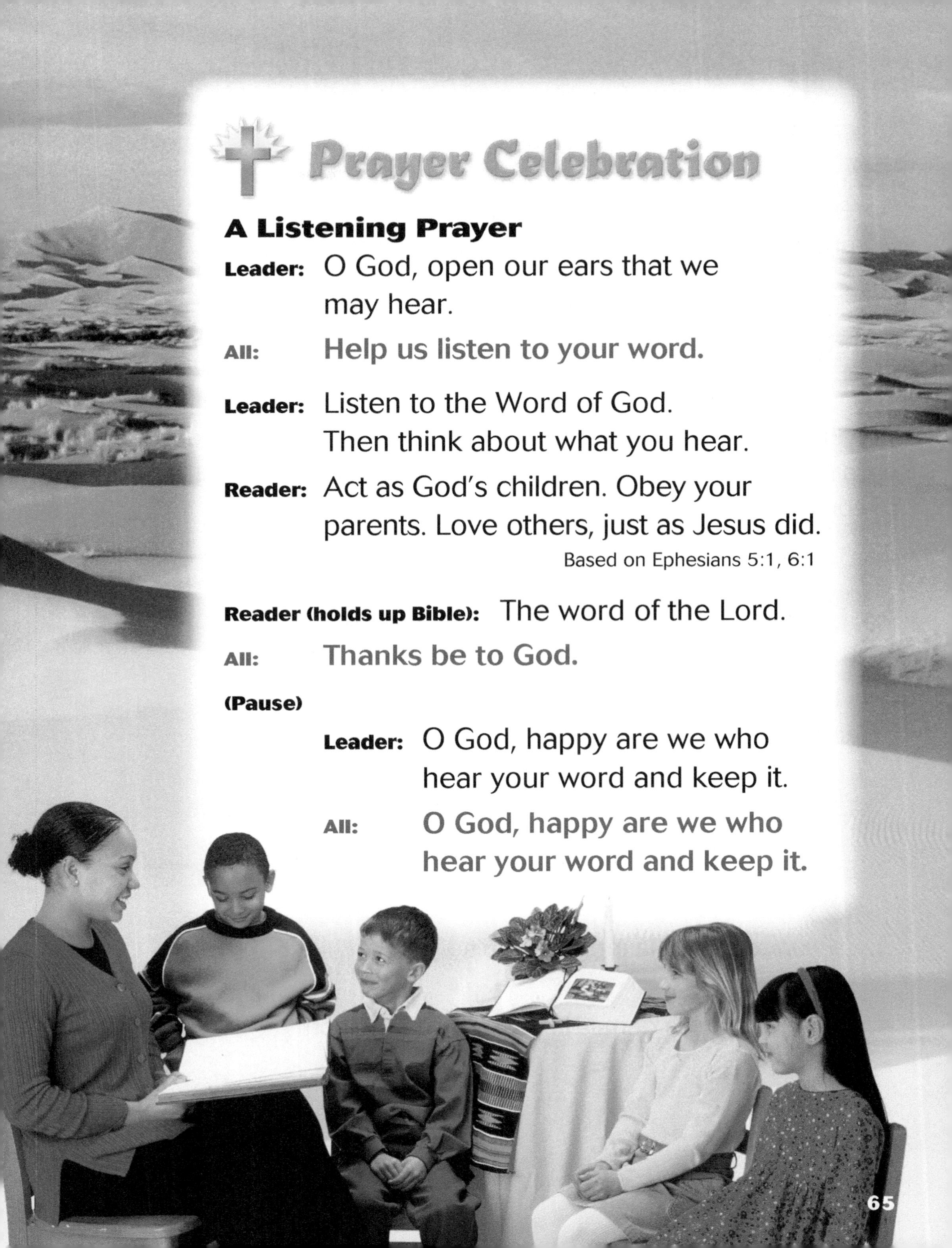

Prayer Celebration

A Listening Prayer

Leader: O God, open our ears that we may hear.

All: **Help us listen to your word.**

Leader: Listen to the Word of God. Then think about what you hear.

Reader: Act as God's children. Obey your parents. Love others, just as Jesus did.

Based on Ephesians 5:1, 6:1

Reader (holds up Bible): The word of the Lord.

All: **Thanks be to God.**

(Pause)

Leader: O God, happy are we who hear your word and keep it.

All: **O God, happy are we who hear your word and keep it.**

La fe en acción

Sacerdotes y diáconos Los hombres estudian muchos años para ser sacerdotes y diáconos. Aprenden la Biblia. Aprenden lo que nuestra Iglesia enseña.
Aprenden cómo ayudarnos a seguir a Jesús.

En tu parroquia

Actividad Piensa en un relato de la Biblia que hayas escuchado en la Misa. ¿Qué dijo el sacerdote o el diácono acerca del relato? Di cómo lo que aprendiste puede ayudarte a seguir a Jesús.

En la vida diaria

Actividad Encierra en un círculo la parte del cuerpo que completa cada frase.

1. Sostengo la Biblia con mis ____. 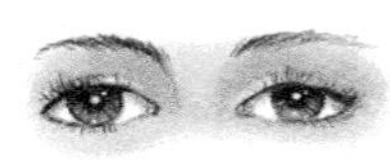 

2. Escucho la Palabra de Dios con mis ____. 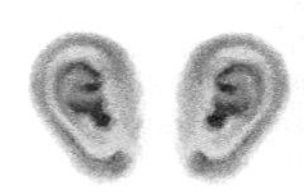 

3. Leo un relato de la Biblia con mis ____.  

4. Les cuento a los demás la Palabra de Dios con mi ____.  

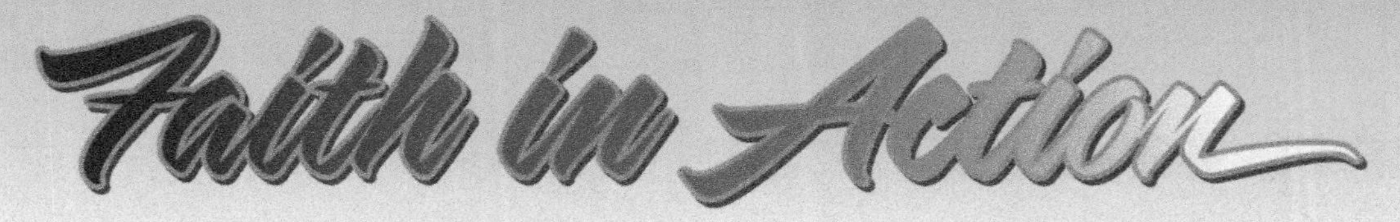

Priests and Deacons Men study for many years to become priests and deacons. They learn about the Bible. They learn about what our Church teaches. They learn how to help us follow Jesus.

In Your Parish

Activity Think about a Bible story that you listened to at Mass. What did the priest or deacon say about the story? Tell how what you learned can help you follow Jesus.

Activity Circle the part of the body that completes each sentence.

1. I hold the Bible with my ____.  

2. I listen to God's word with my ____. 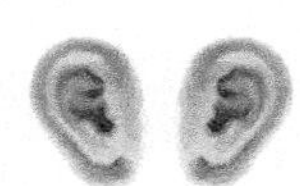 

3. I read a Bible story with my ____.  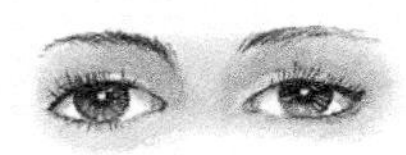

4. I tell others about God's word with my ____.  

4 Alabamos a Dios

Alabaré a Dios con todo mi corazón.

Basado en el Salmo 111:1

Compartimos

Alabamos a las personas cuando hacen algo bueno. Decimos: "¡Muy bien!". A veces alabamos a una persona sólo por ser especial. Decimos: "¡Eres maravilloso!". Mira la fotografía. ¿Qué crees que está pasando?

Dibuja cómo se ve tu cara cuando alguien te alaba.

4 We Give Praise to God

I will praise God with all my heart.

Based on Psalm 111:1

Share

We praise people when they do something good. We say, "Great job!"
Sometimes we praise a person just for being special. We say, "You are wonderful!"
Look at the picture. What do you think is happening?

Draw how your face looks when someone praises you.

Escuchamos y creemos

La Escritura ¡Alaba a Dios!

Todo lo que Dios hace
lo alaba.

Alaben a Dios, sol y luna.

Alaben a Dios, noche y día.

Alaben a Dios, altas montañas.

Alaben a Dios, ancianos y niños.

Alaben a Dios, pájaros que cantan.

¡Alaben a Dios, todos!

Basado en el Salmo 148

Hear & Believe

Scripture Praise God!

Everything that God makes
gives him praise.

Give praise to God, sun and moon.
Give praise to God, night and noon.
Give praise to God, mountains tall.
Give praise, people big and small.
Give praise to God, birds that sing.
Give praise to God, everything!

Based on Psalm 148

Una forma de oración

¡Dios es maravilloso! ¡Dios es bueno! Todo lo que Dios hizo le rinde **alabanza**. La alabanza es una forma de **oración**. Alabamos a Dios para celebrar su bondad.

Algunas oraciones de alabanza están en la Biblia. Podemos alabar a Dios en cualquier lugar. Podemos alabar a Dios en cualquier momento.

Nuestra Iglesia nos enseña

Una oración es escuchar a Dios y hablar con Él. Podemos hablar a Dios con oraciones de alabanza. Podemos alabar a Dios con nuestra comunidad parroquial. Podemos decirle a Dios que es bueno y maravilloso.

Creemos

Escuchamos a Dios y hablamos con Él cuando rezamos. Una forma de rezar es alabar a Dios.

Palabras de fe

alabanza
La alabanza es una forma de oración. Celebra la bondad de Dios.

oración
Una oración es escuchar a Dios y hablar con Él.

One Kind of Prayer

God is wonderful! God is good! Everything God made gives him **praise**. Praise is one kind of **prayer**. We praise God to celebrate his goodness.

Some prayers of praise are in the Bible. We can praise God anywhere. We can praise God any time.

Our Church Teaches

Prayer is listening to and talking to God. We can talk to God with prayers of praise. We can praise God with our parish community. We can tell God that he is good and wonderful.

We Believe

We listen to and talk to God when we pray. One way to pray is to give praise to God.

Faith Words

praise
Praise is a kind of prayer. It celebrates God's goodness.

prayer
Prayer is listening to and talking to God.

Respondemos

Gloria a Dios

Joey aprendió acerca de Dios aun antes de empezar la escuela. Aprendió que Dios nos ama. Aprendió que todas las cosas buenas vienen de Dios.

Ahora Joey está en primer grado. Todas las semanas va a Misa con su familia. Alaban a Dios con su comunidad parroquial. A veces cantan una oración llamada **Gloria**. Las palabras preferidas de Joey son "Gloria a Dios en el cielo, y en la tierra paz a los hombres que ama el Señor". (Ordinario de la Misa)

¿Por qué crees que a Joey le gusta cantar el Gloria?

Respond

Glory to God

Joey learned about God even before he started school. He learned that God loves us. He learned that all good things come from God.

Now Joey is in the first grade. Each week he goes to Mass with his family. They praise God with their parish community. Sometimes they sing a prayer called the **Gloria**. Joey's favorite words are "Glory to God in the highest, and on earth peace to people of good will" (The Order of Mass).

Why do you think Joey likes to sing the Gloria?

Actividades

1. Aprende a decir con señas las palabras "Cantemos alabanzas al Señor".

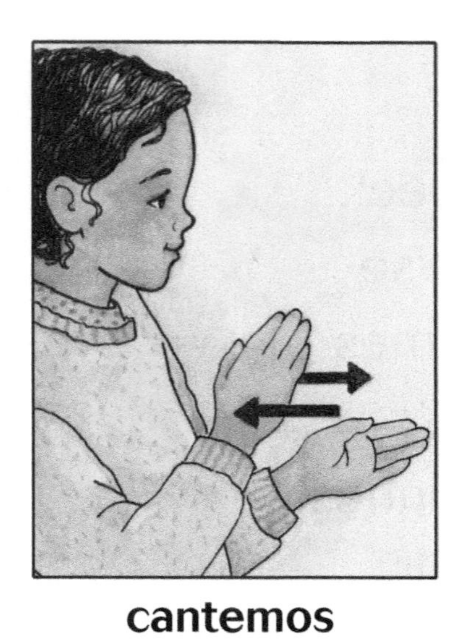

cantemos

alabanzas

Señor

2. Lee las palabras que alaban a Dios. Luego usa los números de los crayones como ayuda para pintar la ventana de la iglesia.

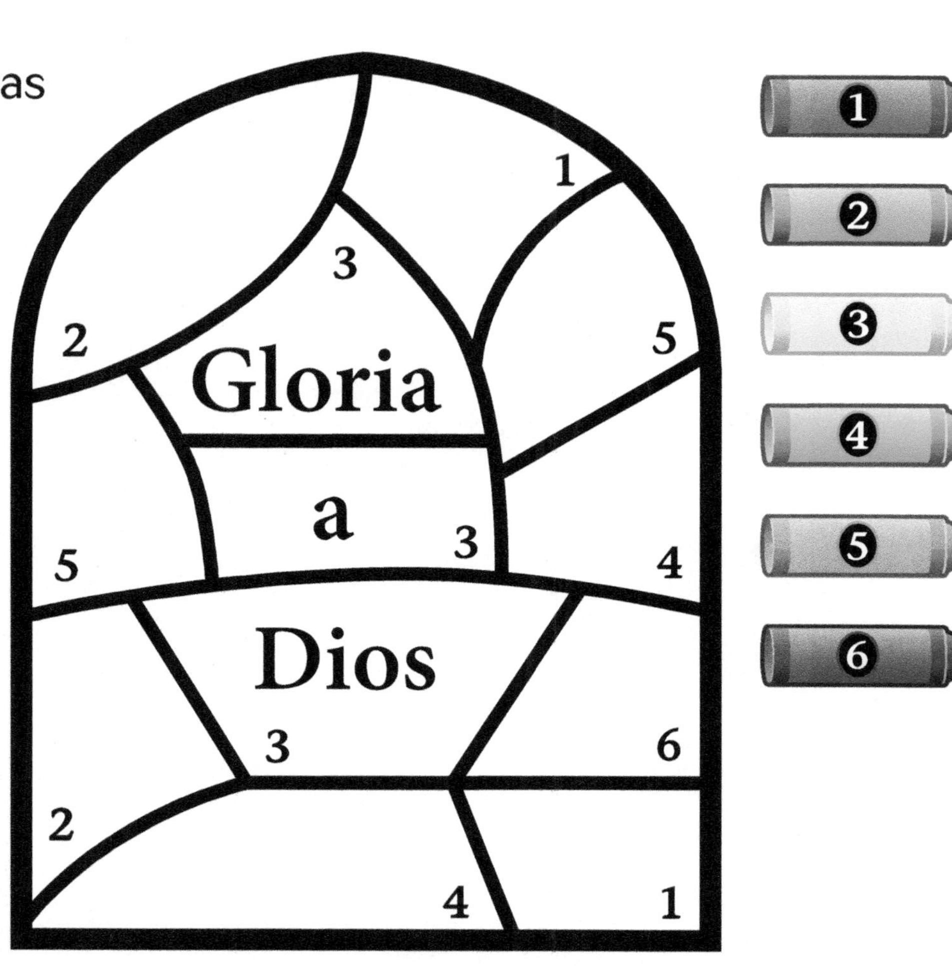

Activities

1. Learn to sign the words, "Sing praise to the Lord."

sing

praise

Lord

2. Read the words that praise God. Then use the numbers on the crayons to help you color the church window.

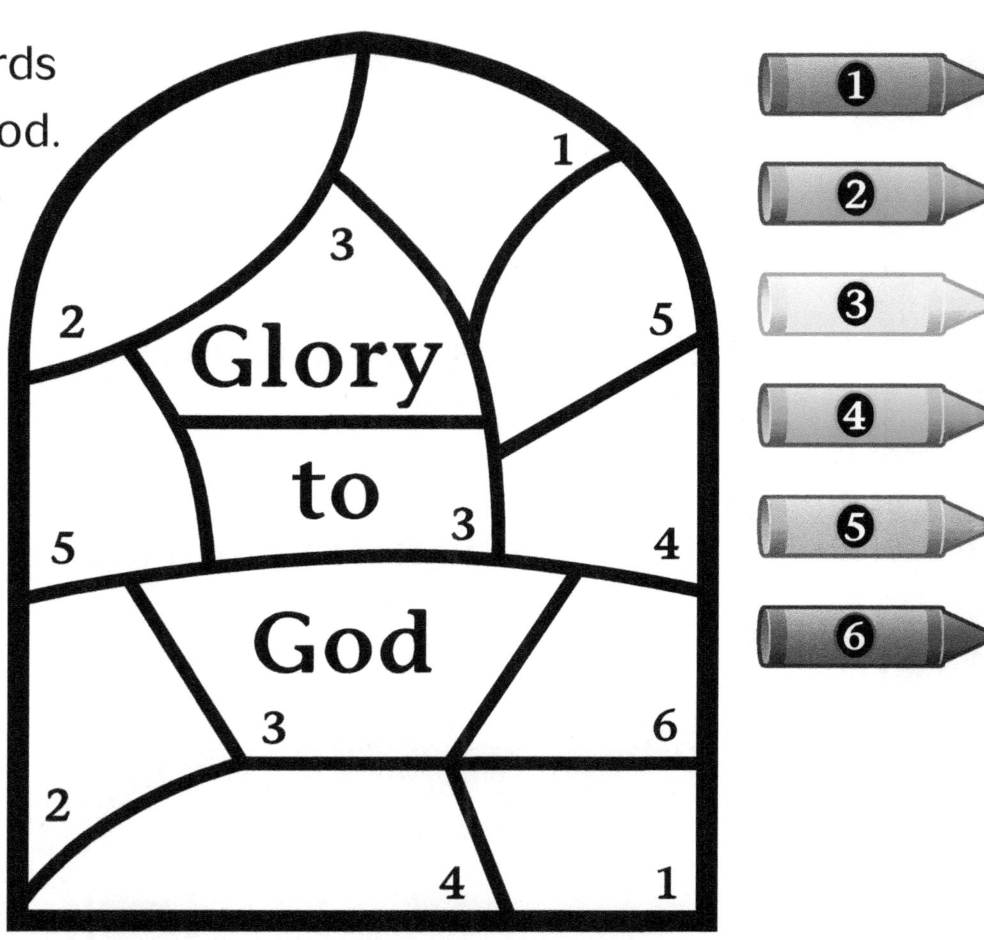

Celebración de la oración

Oración de alabanza

Líder: Todo lo creado por Dios lo alaba. Alabemos con señas al Señor.

Todos (señas): Cantemos alabanzas al Señor.

Líder: Ahora que toda la creación alabe a Dios.

Lado 1:	Lado 2:
Alaben a Dios,	sol y luna.
Alaben a Dios,	noche y día.
Alaben a Dios,	altas montañas.
Alaben a Dios,	ancianos y niños.
Alaben a Dios,	pájaros que cantan.
Alaben a Dios,	todos.

Basado en el Salmo 148

Todos (canto): Gloria a Dios en el cielo, y en la tierra paz a los hombres que ama el Señor.

A Prayer of Praise

Leader: Everything God creates praises him. Let us sign our praise to the Lord.

All (sign): **Sing praise to the Lord.**

Leader: Now let all creation praise God.

Side 1:	Side 2:
Give praise to God,	**sun and moon.**
Give praise to God,	**night and noon.**
Give praise to God,	**mountains tall.**
Give praise to God,	**people big and small.**
Give praise to God,	**birds that sing.**
Give praise to God,	**everything.**

Based on Psalm 148

All (sing): **Glory to God in the highest, and on earth peace to people of good will.**

La fe en acción

Los niños le cantan a Dios Algunas parroquias tienen un coro de niños. Niños y niñas, bajos y altos, aprenden los cantos sagrados. Los practican muchas veces. Luego los cantan en la Misa. Los niños alaban a Dios cuando cantan.

Actividad ¿Tiene tu parroquia un coro de niños? Comenta las canciones que cantan. ¿Cuál es tu canto sagrado preferido? Di por qué te gusta.

Actividad Aprende estas palabras del canto de la unidad "Somos su pueblo". Canta las palabras como una oración. Luego colorea las notas del borde.

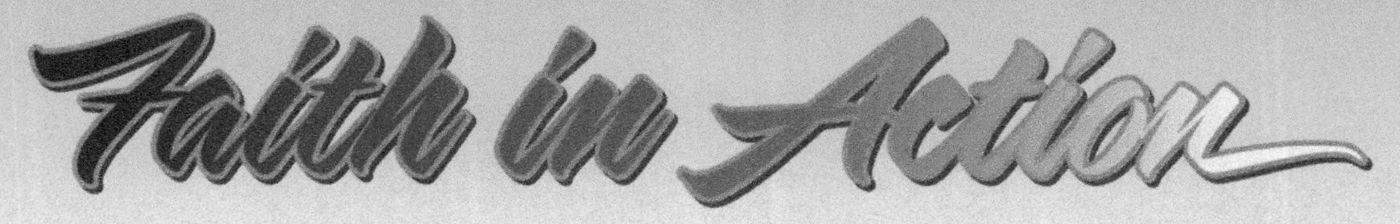

Children Sing to God Some parishes have a children's choir. Boys and girls, small and tall, learn holy songs. They practice the songs many times. Then they sing the songs at Mass. The children praise God when they sing.

In Your Parish

Activity Does your parish have a children's choir? Tell about the songs they sing. What is your favorite holy song? Tell why you like it.

Activity Learn these words to the unit song, "We Are God's People." Sing the words as a prayer. Then color the notes in the border.

Nuestro Dios amoroso

UNIDAD 2

Jesús nos enseñó que todos somos hijos especiales de Dios. Dios nos ha dado el don de su maravillosa creación. Le agradecemos a Dios todos los dones que hemos recibido.

Niños, amémonos los unos a los otros.
Basado en 1.ª Juan 4:7

Jesús iba de ciudad en ciudad, alrededor del Mar de Galilea. Les enseñaba a las personas acerca de nuestro Dios amoroso. Cuando mostramos nuestro amor por los demás, seguimos a Jesús.

Our Loving God

UNIT 2

Jesus taught us that we are all God's special children. God has given us the gift of his wonderful creation. We thank God for all the gifts we have received.

Children, let us love one another.
Based on 1 John 4:7

Jesus went from town to town around the Sea of Galilee. He taught people about our loving God. When we show our love for others we follow Jesus.

Jesús, Jesús

Texto: Tom Colvin, 1925-2000; trad. por Felicia Fina, alt.
Música: CHEREPONI, Irregular con estribillo; canción tradicional de Ghana; adapt. por Tom Colvin, 1925-2000

Jesu, Jesu

Text: Tom Colvin, 1925-2000
Tune: CHEREPONI, Irregular with refrain; Ghana folk song; adapt. by Tom Colvin, 1925-2000

5 Dios es nuestro Padre amoroso

¡Oh, Dios, todo lo que hiciste es maravilloso! Tu amor durará para siempre.

Basado en el Salmo 136:4

Compartimos

Dios hizo todas las cosas. Todas las cosas muestran el amor de Dios. Mira la ilustración. Di cómo cada cosa muestra el amor de Dios.

Dibuja algo que te guste que muestre el amor de Dios.

5 God Is Our Loving Father

O God, everything you made is wonderful!
Your love will last forever.

Based on Psalm 136:4

Share

God made all things.
All things show God's love.
Look at the picture.
Tell how each thing
shows God's love.

Draw something you like that
shows God's love.

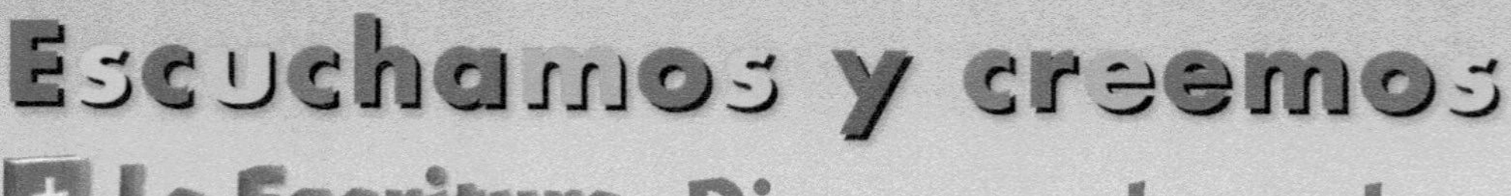

Escuchamos y creemos

La Escritura Dios crea el mundo

Dios hizo la 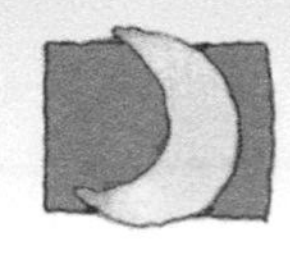 y las  en las tinieblas. Dios hizo el  para tener calor y luz. Y sobre la tierra, Dios plantó , mientras que en el cielo volaron  y . Las  brotaron de la tierra. Nacieron dulces 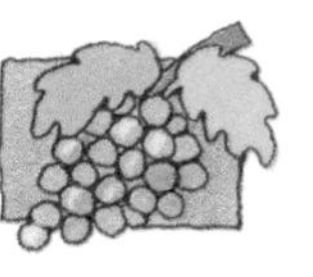 y . Los  y los  nadaron en los mares. Y en la tierra hubo . Pronto aparecieron  y  junto con  y ,  y ciervos.

Basado en el Génesis 1:1–25

Hear & Believe

Scripture God Creates The World

God made the [moon] and [stars] at night. God made the [sun] for warmth and light. And on the land, God planted [trees], while in the sky flew [birds] and [insects]. The [flowers] sprang up from the earth. Sweet [grapes] and [apples] came to birth. The [fish] and [dolphins] swam in the seas. And on the land were [monkeys]. Soon [bears] and [horses] did appear, with [goats] and [hens], [sheep], and deer.

Based on Genesis 1:1–25

Dios crea a las personas

Dios vio que todo lo que había hecho era bueno. Luego Dios hizo a las personas parecidas a Él. Dios les dijo a las personas que lo cuidaran todo. Él bendijo a las personas y todo lo que había creado.

Basado en el Génesis 1:26–31

Creemos

Dios creó todas las cosas para mostrar su amor por nosotros.

Nuestra Iglesia nos enseña

Dios es nuestro Padre amoroso. Quiso **crear** un mundo hermoso. Dios hizo el mundo de la nada. Dios creó todo en el mundo para mostrar su amor por nosotros. Dios cuida de nosotros y de toda la creación. Dios es nuestro **Creador**.

Palabras de fe

crear
Crear significa "hacer algo de la nada".

Creador
Dios es nuestro Creador. Dios hizo todo lo que hay en el mundo.

God Creates People

God saw that everything he made was good. Then God made people to be like himself. God told the people to take care of everything. He blessed the people and all that he had made.

Based on Genesis 1:26–31

We Believe

God created all things to show his love for us.

Our Church Teaches

God is our loving Father. He wanted to **create** a beautiful world. God made the world out of nothing. God created everything in the world to show his love for us. God cares for us and for all creation. God is our **Creator**.

Faith Words

create
To create means "to make something out of nothing."

Creator
God is our Creator. God made everything in the world.

Respondemos

Cuidar la creación

A Ana le gustaba jugar en su patio. Le gustaba el pequeño jardín de flores. Sobre todo, a Ana le gustaba la estatua de San Francisco. Ana aprendió que Francisco amó todo lo que Dios creó. Francisco cuidó muy bien las plantas. Era cariñoso con los animales. Ayudó a los necesitados.

Ana tomó su regadera. "Gracias, Dios, por crear el mundo", dijo. Luego Ana comenzó a regar las flores.

¿Cómo cuidó Ana la creación de Dios?

Respond

Caring for Creation

Anna liked to play in her yard. She liked the little flower garden. Best of all, Anna liked the statue of Saint Francis. Anna learned that Francis loved everything God created. Francis took good care of plants. He was kind to animals. He helped people in need.

Anna picked up her watering can. She said, "Thank you, God, for making our world." Then Anna began to water the flowers.

? How did Anna care for God's creation?

Actividades

1. Dibújate en el corazón. Piensa acerca de cuánto te ama Dios.

2. Éstas son algunas formas en las que cuidamos la creación de Dios. Traza una línea desde cada forma hasta la imagen correspondiente.

   Ayudar a los necesitados.

   Ser cariñoso con los animales.

   Compartir los dones de Dios.

Activities

1. Draw yourself in the heart. Think about how much God loves you.

2. Here are some ways we care for God's creation. Draw a line from each way to its matching picture.

   Help people in need.

   Be kind to animals.

   Share God's gifts.

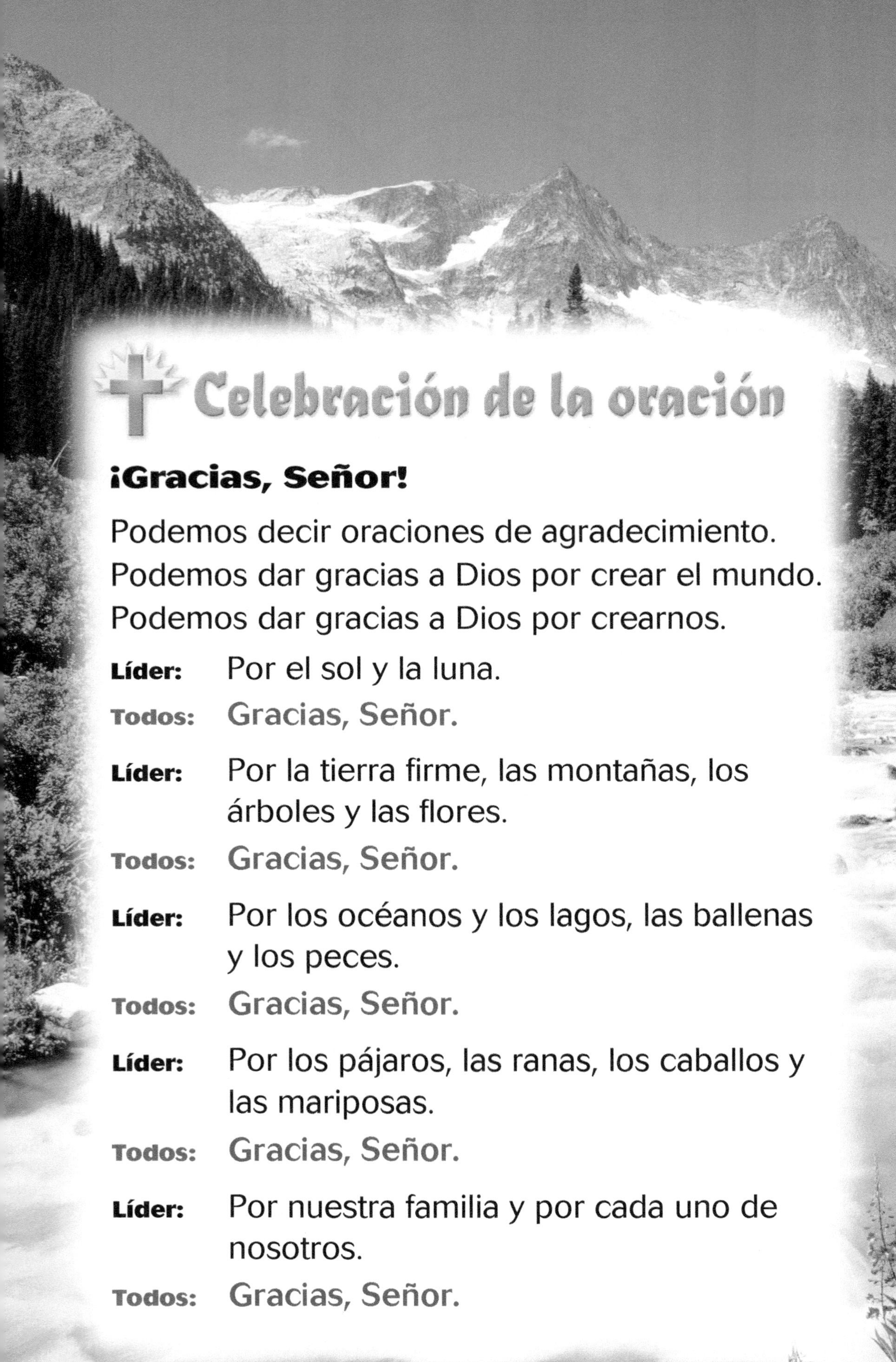

Celebración de la oración

¡Gracias, Señor!

Podemos decir oraciones de agradecimiento.
Podemos dar gracias a Dios por crear el mundo.
Podemos dar gracias a Dios por crearnos.

Líder: Por el sol y la luna.

Todos: Gracias, Señor.

Líder: Por la tierra firme, las montañas, los árboles y las flores.

Todos: Gracias, Señor.

Líder: Por los océanos y los lagos, las ballenas y los peces.

Todos: Gracias, Señor.

Líder: Por los pájaros, las ranas, los caballos y las mariposas.

Todos: Gracias, Señor.

Líder: Por nuestra familia y por cada uno de nosotros.

Todos: Gracias, Señor.

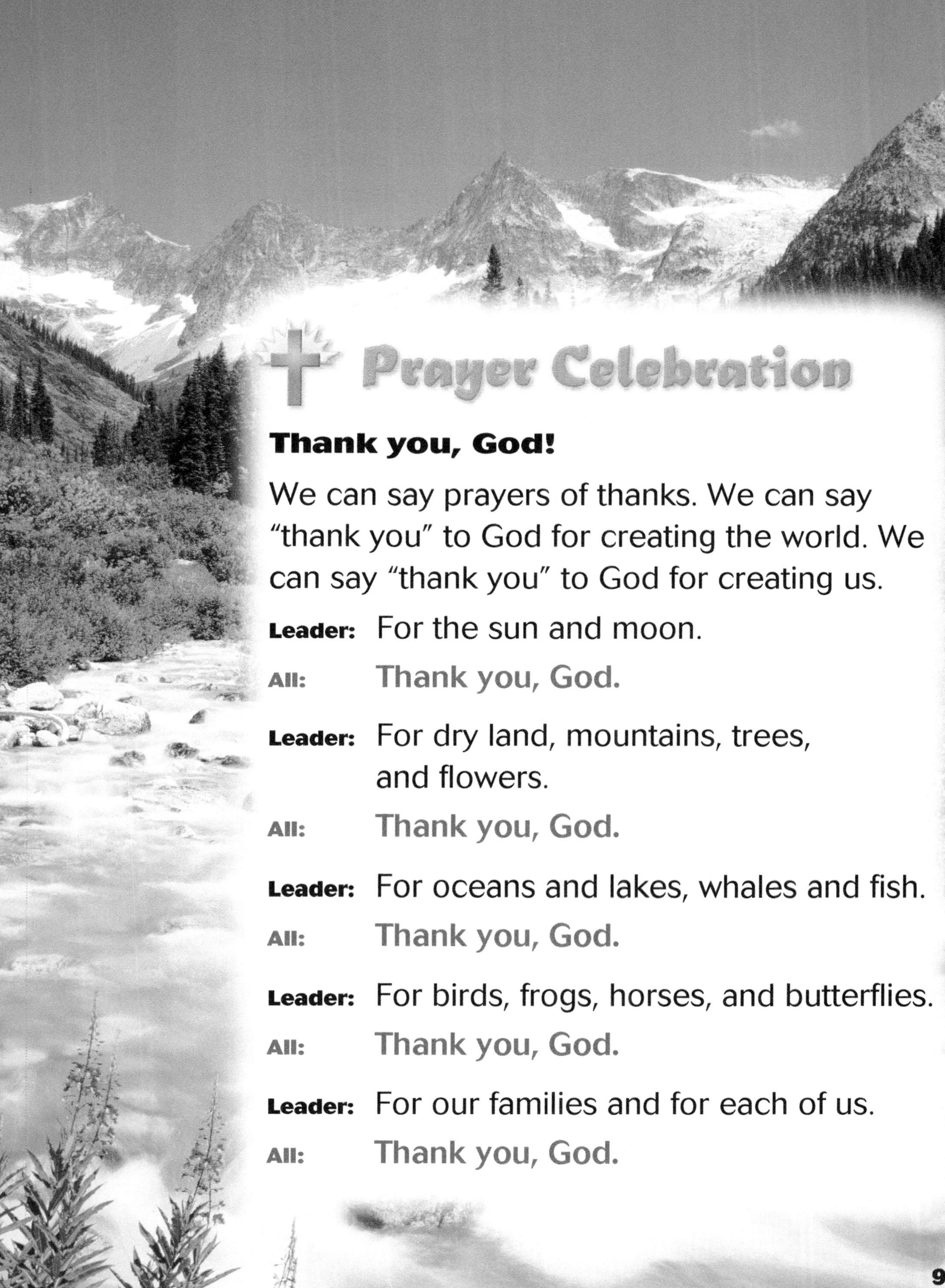

Prayer Celebration

Thank you, God!

We can say prayers of thanks. We can say "thank you" to God for creating the world. We can say "thank you" to God for creating us.

Leader: For the sun and moon.

All: Thank you, God.

Leader: For dry land, mountains, trees, and flowers.

All: Thank you, God.

Leader: For oceans and lakes, whales and fish.

All: Thank you, God.

Leader: For birds, frogs, horses, and butterflies.

All: Thank you, God.

Leader: For our families and for each of us.

All: Thank you, God.

La fe en acción

Cuidar la creación de Dios La Parroquia Todos los Santos invita a sus familias a que embellezcan los jardines de la iglesia. Algunas familias plantan flores. Algunas riegan las plantas. Otras se ocupan de las malezas. Las familias que ayudan demuestran su amor por la creación de Dios.

En tu parroquia

Actividad Dibuja los jardines que rodean tu iglesia parroquial. ¿Qué cosas creadas por Dios puedes ver? Di cómo las familias de tu parroquia podrían cuidar la creación de Dios.

En la vida diaria

Actividad Todos los días hacemos elecciones. Algunas elecciones ayudan a la creación de Dios. Algunas elecciones la dañan. Encierra en un círculo las elecciones que ayudan a la creación de Dios.

Faith in Action

Caring for God's Creation All Saints Parish invites its families to make the church grounds look beautiful. Some families plant flowers. Some water the plants. Others get rid of the weeds. The families who help show their love for God's creation.

In Your Parish

Activity Picture the grounds around your parish church. What things that God created do you see? Tell how the families in your parish could care for God's creation.

In Everyday Life

Activity Each day we make choices. Some choices help God's creation. Some choices hurt it. Circle the choices that help God's creation.

6 El Bautismo es un don maravilloso

La Iglesia nos recibe con alegría.
Pertenecemos a Jesucristo.

Basado en el Ritual para el Bautismo de los niños

Compartimos

Decimos "¡Bienvenido!" de muchas maneras.
Ponemos carteles. Traemos regalos.
Nos damos la mano. Compartimos la comida.

Dibuja tu propia ilustración de bienvenida.

6 Baptism Is a Wonderful Gift

The Church welcomes us with joy.
We belong to Jesus Christ.

Based on the Rite of Baptism

Share

We say "Welcome!" in many ways.
We put up signs. We bring gifts.
We shake hands. We share food.

Draw your own welcome picture.

Escuchamos y creemos

El culto El Bautismo nos da la bienvenida

La Iglesia tiene una celebración especial para dar la bienvenida a los nuevos miembros. A esa celebración la llamamos Bautismo.

El sacerdote o el diácono dice: "La comunidad cristiana los recibe a ustedes con gran alegría".

Durante la celebración, el sacerdote o el diácono pone a la persona tres veces en el agua. Dice: "Yo te bautizo en el nombre del Padre, y del Hijo, y del Espíritu Santo".

Ritual para el Bautismo de los niños

Hear & Believe

Worship Baptism Welcomes Us

The Church has a special celebration to welcome new members. We call the celebration Baptism.

The priest or deacon says, "The Christian community welcomes you with great joy."

During the celebration, the priest or deacon places the person in water three times. He says, "I baptize you in the name of the Father, and of the Son, and of the Holy Spirit."

Rite of Baptism for Children

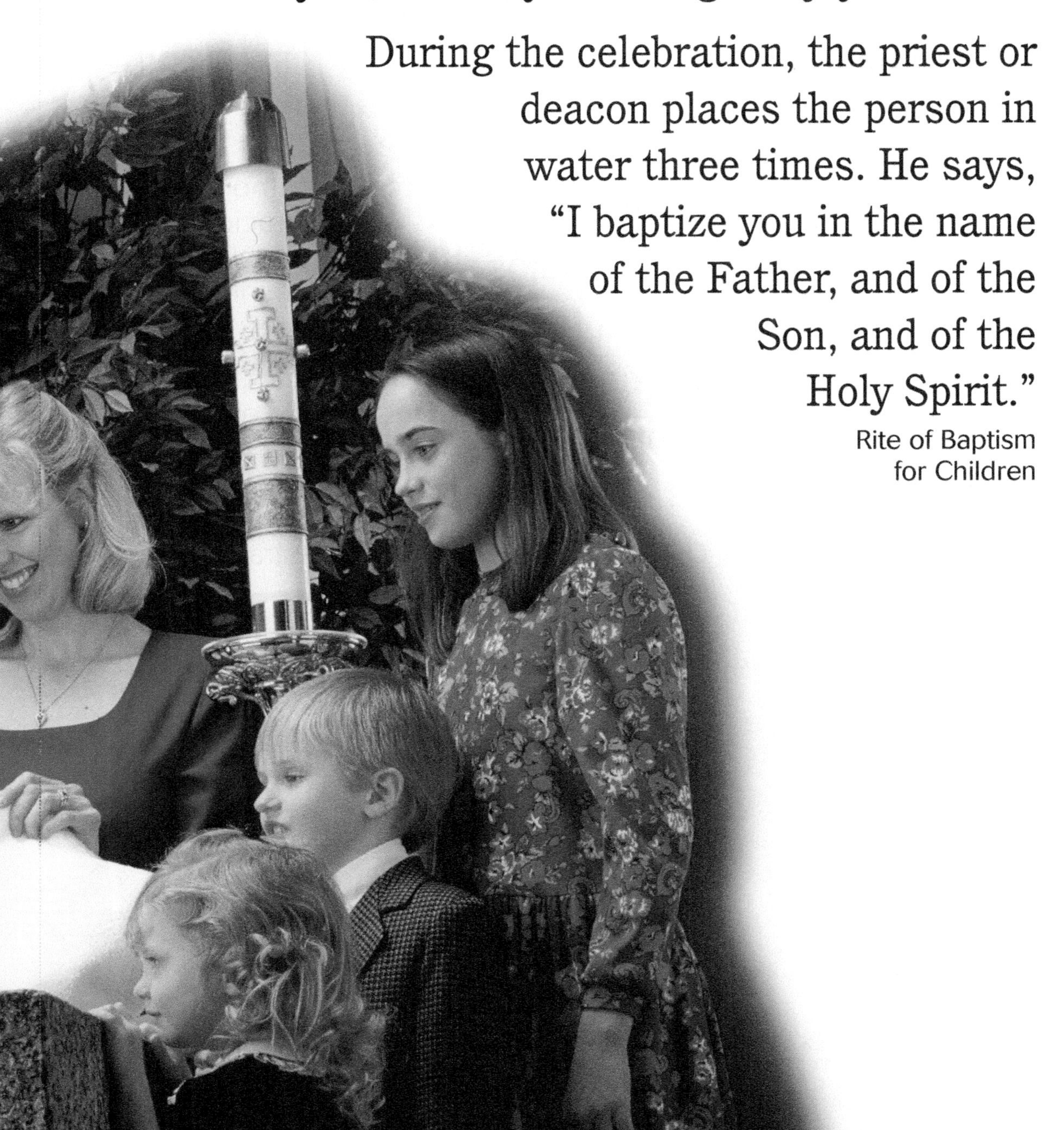

La celebración del Bautismo

Durante el Bautismo, el sacerdote o el diácono pone a la persona en agua bendita. A veces, se derrama tres veces agua sobre la cabeza de la persona. El agua es un signo del don de Dios de la nueva vida. El Bautismo es un signo de que el miembro nuevo pertenece a la Iglesia Católica.

Nuestra Iglesia nos enseña

En el Bautismo nos convertimos en hijos de Dios. Nos volvemos parte de la familia de Dios. Dios comparte su vida con nosotros. Comparte su amor con nosotros. La presencia amorosa de Dios en nuestra vida se llama **gracia**. El don de la gracia de Dios nos ayuda a seguir a Jesús. Nos ayuda a vivir como buenos católicos.

Creemos

A través del Bautismo, nos convertimos en hijos de Dios y en miembros de la Iglesia.

Palabras de fe

Bautismo
El Bautismo es la celebración de bienvenida a la comunidad católica.

gracia
La gracia es el don de la presencia amorosa de Dios en nuestra vida.

The Celebration of Baptism

In **Baptism** the priest or deacon places the person in holy water. Sometimes water is poured on the person's head three times. The water is a sign of God's gift of new life. Baptism is a sign that the new member belongs to the Catholic Church.

Our Church Teaches

In Baptism we become children of God. We become part of God's family. God shares his life with us. He shares his love with us.

God's loving presence in our lives is called **grace**. God's gift of grace helps us follow Jesus. It helps us live as good Catholics.

We Believe

Through Baptism we become children of God and members of the Church.

Faith Words

Baptism
Baptism is a celebration of welcome into the Catholic community.

grace
Grace is the gift of God's loving presence in our lives.

Respondemos

Santa Kateri Tekakwitha

Kateri era una joven indígena norteamericana. Una terrible enfermedad cayó sobre su aldea. Sus padres murieron. La enfermedad dejó a Kateri casi ciega.

Un día llegó un sacerdote. Les habló a todos acerca de Jesús. Kateri quiso ser seguidora de Jesús. Quiso pertenecer a la Iglesia.

Kateri celebró el Bautismo. Rezó a Dios todos los días. Ayudó a los necesitados.

Después de la muerte de Kateri, muchos otros indígenas norteamericanos se unieron a la Iglesia. Querían vivir como Kateri y seguir a Jesús.

? ¿Por qué Kateri quiso que la bautizaran?

Respond

Saint Kateri Tekakwitha

Kateri was a young Native American girl. A terrible sickness came to her village. Her parents died. The sickness left Kateri almost blind.

One day, a priest came. He told everyone about Jesus. Kateri wanted to be a follower of Jesus. She wanted to belong to the Church.

Kateri celebrated Baptism. She prayed to God every day. She helped people in need.

After Kateri died, many other Native Americans joined the Church. They wanted to live like Kateri and follow Jesus.

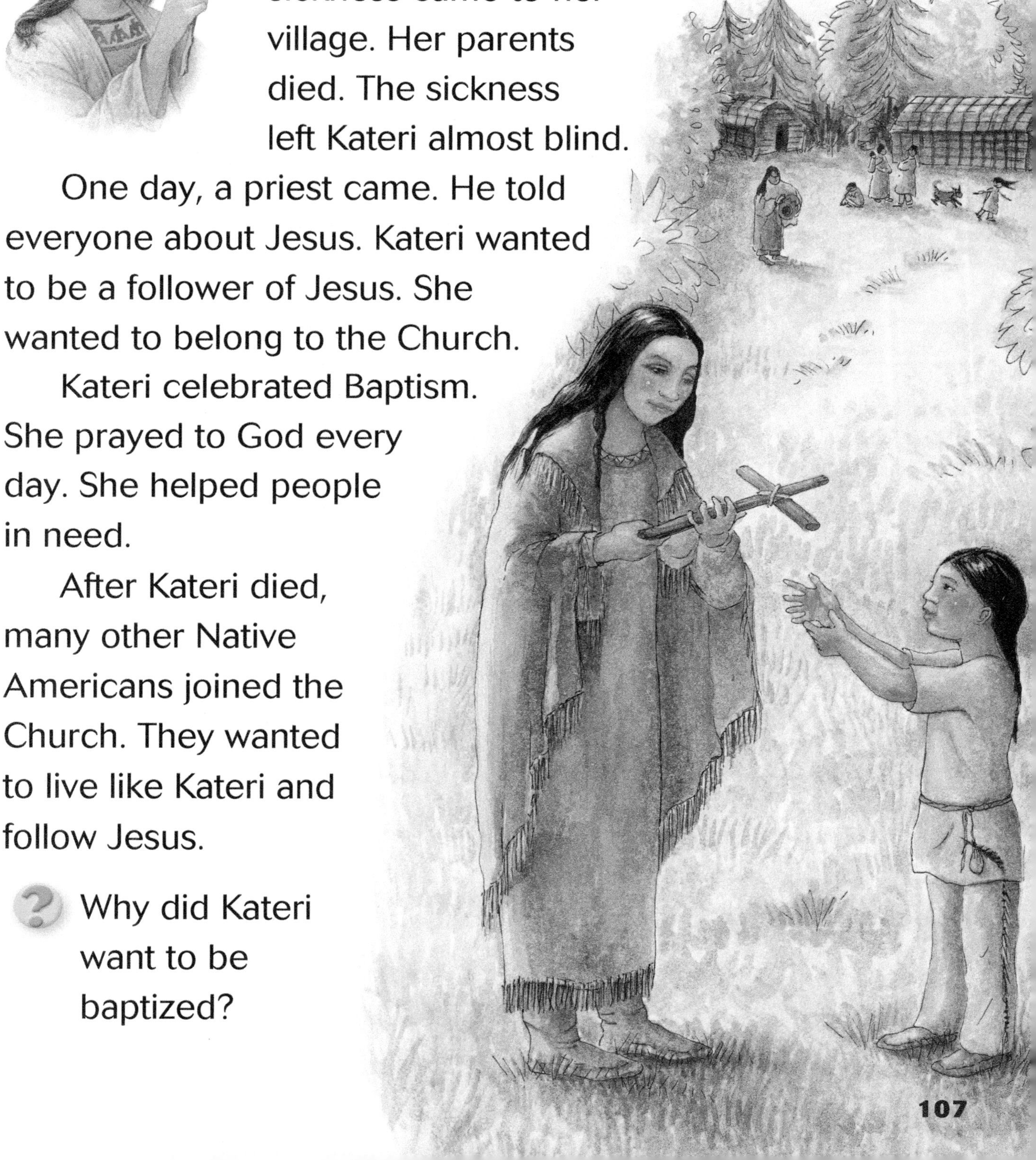

? Why did Kateri want to be baptized?

Actividad

Encierra en un círculo a las personas que nos muestran formas de seguir a Jesús.

Activity

Circle the people who show us ways to follow Jesus.

Celebración de la oración

Rezar con agua bendita

Líder: El agua bendita nos recuerda nuestro bautismo. La Señal de la Cruz nos recuerda que somos seguidores de Jesús.

Nos turnaremos para hacer la Señal de la Cruz con agua bendita. Diremos esta oración por cada persona.

Todos: **Querido Dios, te pedimos que bendigas a (nombre). Ayuda a (nombre) a seguir a Jesús.**

Líder: Hagamos todos juntos la Señal de la Cruz.

Todos: **En el nombre del Padre**
y del Hijo
y del Espíritu Santo.
Amén.

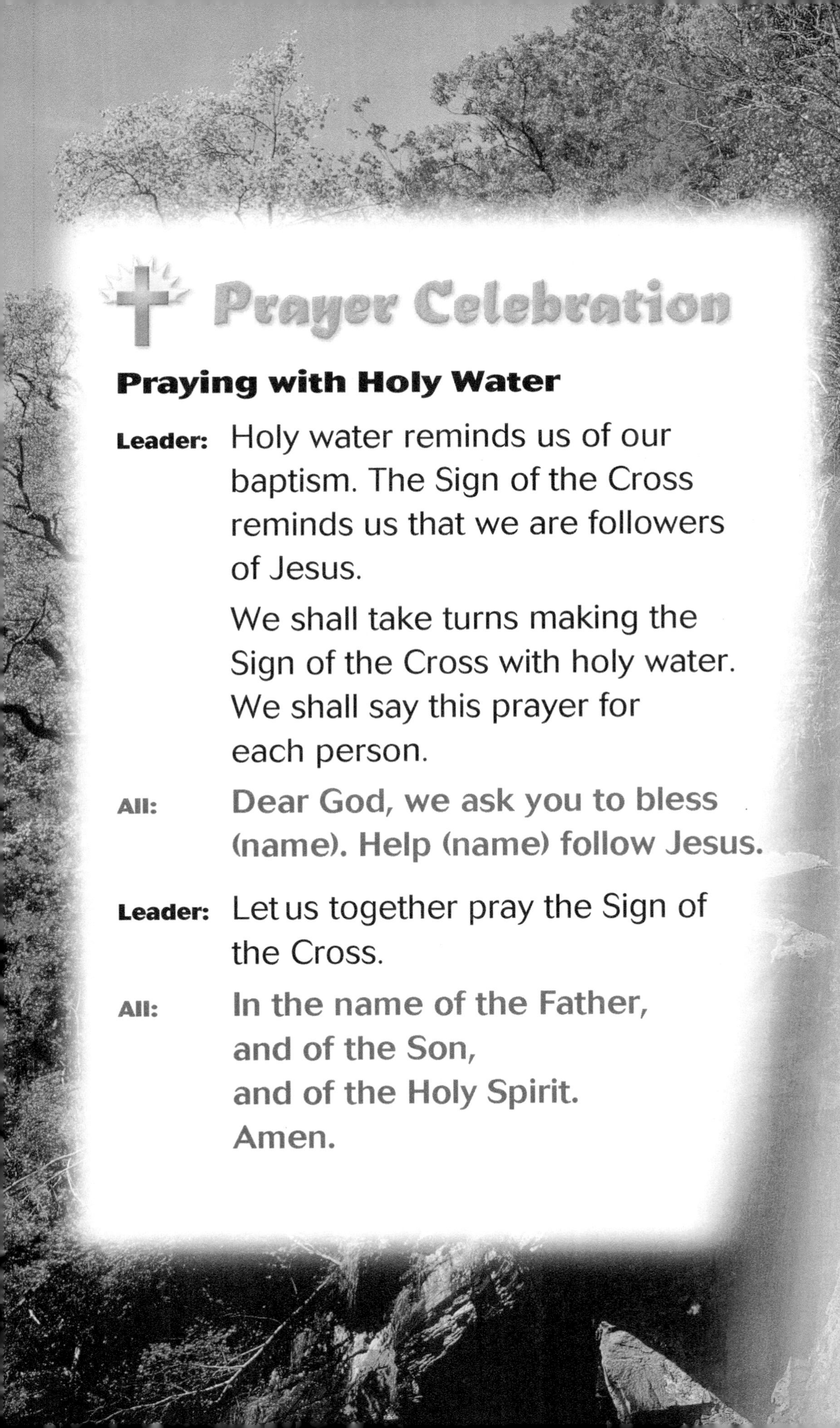

Prayer Celebration

Praying with Holy Water

Leader: Holy water reminds us of our baptism. The Sign of the Cross reminds us that we are followers of Jesus.

We shall take turns making the Sign of the Cross with holy water. We shall say this prayer for each person.

All: **Dear God, we ask you to bless (name). Help (name) follow Jesus.**

Leader: Let us together pray the Sign of the Cross.

All: **In the name of the Father,**
and of the Son,
and of the Holy Spirit.
Amen.

La fe en acción

Bienvenida a los nuevos miembros Todos los meses, la Parroquia San Pablo da la bienvenida a sus nuevos miembros. Después de la Misa, el grupo de bienvenida sirve café y meriendas. Todos pueden conocer a los nuevos miembros. Hablan acerca de la parroquia. Hablan acerca de su familia. Hablan acerca de ayudar a los demás.

En tu parroquia

Actividad Haz un cartel de bienvenida para tu iglesia. Dibuja ilustraciones de personas en tu parroquia. Muestra cómo tu parroquia es especial.

En la vida diaria

Actividad Piensa en un momento en que te sentiste aislado. ¿Cómo podrías ayudar a un niño nuevo a que se sienta bienvenido en tu escuela o en tu vecindario?

Welcoming New Members Each month Saint Paul's Parish welcomes its new members. After Mass the welcome group serves coffee and snacks. Everyone gets to meet the new members. They talk about the parish. They talk about their families. They talk about helping others.

In Your Parish

Activity Make a welcome sign for your church. Draw pictures of people in your parish. Show how your parish is special.

In Everyday Life

Activity Think about a time when you felt left out. How could you help a new child feel welcome in your school or neighborhood?

7 Dios nos creó para que seamos buenos y santos

Niños, amémonos los unos a los otros.

Basado en 1.ª Juan 4:7

Compartimos

Todo tiene un propósito. Encierra en un círculo las cosas que usarías en una casa de juguete. ¿Por qué elegiste cada cosa?

Dibuja una cosa más para poner en una casa de juguete.

7 God Made Us to Be Good and Holy

Children, let us love one another.

Based on 1 John 4:7

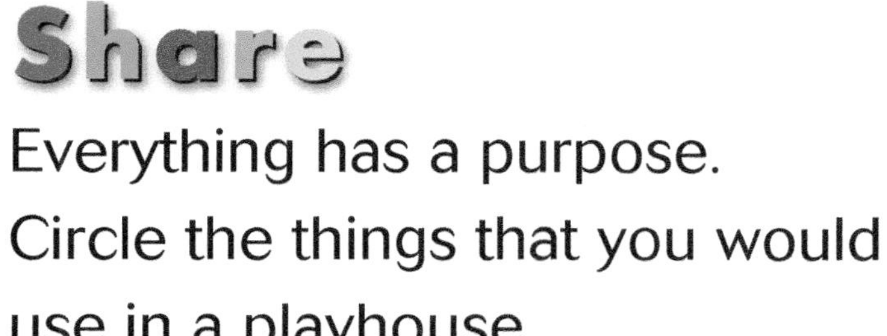

Share

Everything has a purpose.
Circle the things that you would use in a playhouse.
Why did you choose each thing?

Draw one more thing to put in a playhouse.

Escuchamos y creemos

La Escritura Un hombre le pregunta a Jesús

Jesús iba de ciudad en ciudad, enseñando a las personas. Un día, un hombre que conocía la ley de Dios le hizo una pregunta a Jesús.

Hombre: ¿Qué debo hacer para ir al cielo?

Jesús (sonriendo): ¿Qué está escrito en la Biblia?

Hombre: Ama a Dios con todo tu corazón y toda tu mente. Ama a los demás como te amas a ti mismo.

Jesús: Así es. Es por eso que Dios te creó. Eso es lo que debes hacer para ir al cielo.

Basado en Lucas 10:25–28

Hear & Believe

Scripture A Man Questions Jesus

Jesus went from town to town teaching the people. One day, a man who knew God's law asked Jesus a question.

Man: What must I do to go to heaven?

Jesus (smiling): What is written in the Bible?

Man: Love God with your whole heart and with your whole mind. Love others as you love yourself.

Jesus: You are right. That is why God made you. That is what you must do to go to heaven.

Based on Luke 10:25–28

Por qué nos hizo Dios

Dios nos creó parecidos a Él. Dios nos hizo para ser buenos y **santos**. Somos buenos y santos cuando amamos a Dios por encima de todas las cosas. Somos buenos y santos cuando nos amamos a nosotros mismos. Somos buenos y santos cuando amamos a los demás. Jesús nos dice que ése es el camino al **cielo**.

Creemos

Dios nos creó para ser buenos y santos. Si amamos a Dios, a nosotros mismos y a los demás, viviremos para siempre.

Nuestra Iglesia nos enseña

Dios nos creó para amarlo, para amarnos a nosotros mismos y para amar a los demás. Dios nos hizo para ser felices con Él por siempre en el cielo.

Algún día, todos los seres vivientes morirán. Pero la muerte no es el fin. Si amamos a Dios y a los demás, viviremos por siempre. Estaremos con Jesús. Estaremos con todas las personas buenas y santas que hayan vivido alguna vez. Ésta será la felicidad del cielo.

Palabras de fe

santo
Ser *santo* significa "ser como Dios".

cielo
El cielo es felicidad con Dios por siempre.

Why God Made Us

God created us to be like him. God made us to be good and **holy.** We are good and holy when we love God more than anything else. We are good and holy when we love ourselves. We are good and holy when we love other people. Jesus tells us that this is the way to **heaven.**

Our Church Teaches

God created us to love him, ourselves, and other people. God made us to be happy with him forever in heaven.

Someday every living thing will die. But death is not the end. If we love God and others, we will live forever. We will be with Jesus. We will be with all the good and holy people who ever lived. This will be the happiness of heaven.

We Believe

God made us to be good and holy. If we love God, ourselves, and other people, we will live forever.

Faith Words

holy
To be holy means "to be like God."

heaven
Heaven is happiness with God forever.

Respondemos

Un hombre llamado Pedro

Pedro no podía pensar tan rápido como los demás. Hablaba muy lentamente. Caminaba con dificultad. Algunas personas se burlaban de él. Pero Pedro siempre les devolvía una sonrisa.

A Pedro le gustaban las personas. Quería ayudarlas. Por eso le gustaba su trabajo en la tienda de comestibles. Pedro ponía las cosas en bolsas. Luego ayudaba a llevarlas hasta los automóviles.

Pedro escuchaba los problemas de las personas. Les dijo que Dios los amaba. Pedro ayudó a muchas personas a sentirse mejor.

Cuando Pedro murió, las personas estaban muy tristes. “Pedro era un hombre bueno y santo”, decían. “Nos alegramos de haberlo conocido”.

 ¿De qué manera era Pedro bueno y santo?

Respond

A Man Named Peter

Peter could not think as fast as other people. He spoke very slowly. He walked with a limp. Some people made fun of Peter. But Peter always smiled back.

Peter liked people. He wanted to help them. That is why he liked his job at the grocery store. Peter packed the bags. Then he helped carry them out to the cars.

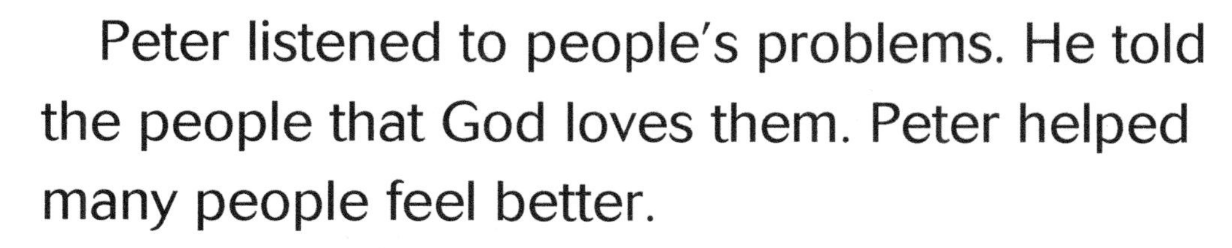

Peter listened to people's problems. He told the people that God loves them. Peter helped many people feel better.

When Peter died, people were very sad. They said, "Peter was a good and holy man. We were happy to know him."

? How was Peter good and holy?

Actividad

Juega el juego de amar a Dios y a los demás. Encuentra tu camino hacia Jesús.

1. Cada jugador necesita una ficha de juego.
2. Lanza un centavo.
3. Mueve 1 casilla si sale cara o 2 si sale cruz.

Activity

Play the game about loving God and other people. Find your way to Jesus.

1. Each player needs a game marker.
2. Toss a penny.
3. Move 1 space for heads or 2 for tails.

Celebración de la oración

Rezar con movimiento

La oración nos ayuda a conocer y a amar a Dios. Mover nuestro cuerpo puede ayudarnos a rezar. Las palabras y la música de los cantos sagrados pueden ayudarnos a movernos.

Movamos nuestro cuerpo con las palabras y la música de un canto sagrado.

Prayer Celebration

Praying with Movement

Prayer helps us know and love God. Moving our bodies can help us pray. The words and music of holy songs can help us move.

Let us move our bodies to the words and music of a holy song.

La fe en acción

Recepcionistas de la parroquia Los domingos, los miembros de la Parroquia Sagrada Familia saludan a las personas que van a la iglesia. Los recepcionistas son amables. Hacen que los niños se sientan especiales. Los visitantes siempre se sienten bienvenidos.

En tu parroquia

Actividad ¿De qué manera te hacen sentir especial los recepcionistas de tu parroquia? ¿Cómo puedes ayudar a que tu iglesia sea un lugar acogedor?

En la vida diaria

Actividad Dios te ama mucho. Quiere que te ames a ti mismo. Entonces serás capaz de amar a los demás.
Haz un dibujo de ti mismo. Luego reza la oración que está alrededor de tu dibujo.

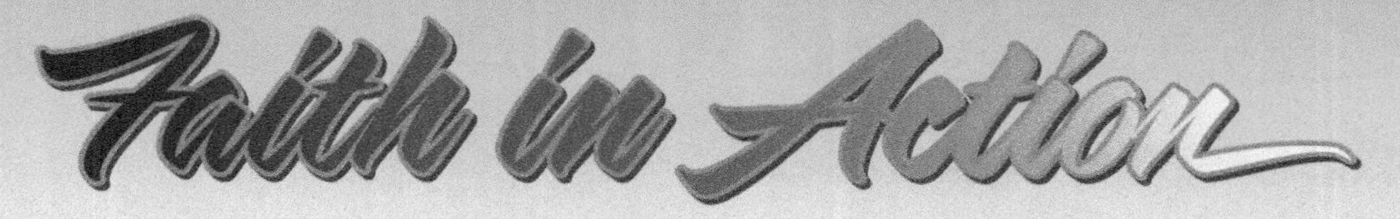

Parish Greeters On Sunday, members of Holy Family Parish greet people going into church. The greeters are friendly. They make the children feel special. Visitors always feel welcome.

In Your Parish

Activity How do the greeters in your parish make you feel special? How can you help make your church a friendly place?

Activity God loves you very much. He wants you to love yourself. Then you will be able to love others. Draw a picture of yourself. Then pray the prayer around your picture.

8 Agradecemos a Dios

Gracias, Señor, por tu bondad.
Bendecimos tu nombre.

Basado en el Salmo 100:4

Compartimos

La tía Pat ayudó a Nick y a Jenny a hornear pastelitos. Les dijo que ellos podían ponerles el glaseado. Nick y Jenny sorprendieron a la tía Pat.

G R A C I A S

Colorea las letras que están sobre los pastelitos. ¿Cómo sorprendieron Nick y Jenny a la tía Pat?

8 We Give Thanks to God

Thank you, God, for your goodness.
We bless your name.

Based on Psalm 100:4

Share

Aunt Pat helped Nick and Jenny bake cupcakes. She said they could put on the frosting. Nick and Jenny surprised Aunt Pat.

Color the letters on the cupcakes. How did Nick and Jenny surprise Aunt Pat?

Escuchamos y creemos

La Escritura Dios es un buen padre

Un día, Jesús les habló a unas personas acerca de Dios.

Jesús: Dios es como un buen padre. Imaginen que ustedes son niños. Tienen hambre. Le piden una barra de pan a su padre. Un buen padre, ¿les daría una piedra?

Personas: ¡No!

Jesús: ¿Qué les daría un buen padre?

Personas: Una barra de pan.

Jesús: Así es. Ahora imaginen que le piden un pescado a su padre. Un buen padre, ¿les daría una serpiente?

Personas: ¡No!

Jesús: ¿Qué les daría un buen padre?

Personas: Un pescado.

Jesús: Así es. Un buen padre sabe cómo dar a sus hijos lo que necesitan. De la misma manera, Dios sabe todo lo que necesitamos. Dios da buenos dones a todos.

Basado en Mateo 7:9–11

Hear & Believe

Scripture God Is a Good Father

One day, Jesus told some people about God.

Jesus: God is like a good father. Imagine that you are a child. You are hungry. You ask your father for a loaf of bread. Will a good father give you a stone?

People: No!

Jesus: What will a good father give you?

People: A loaf of bread.

Jesus: That's right. Now pretend that you ask your father for a fish. Will a good father give you a snake?

People: No!

Jesus: What will a good father give you?

People: A fish.

Jesus: That's right. A good father knows how to give his children what they need. So too, God knows everything we need. God gives good gifts to everyone.

Based on Matthew 7:9–11

Dios cuida de nosotros

Jesús les dijo a las personas que Dios es como un buen padre. Dios sabe lo que cada uno necesita. Cuida de todos. Dios quiere que recemos por las cosas que necesitamos. Entonces Dios nos dará lo que es bueno.

Creemos

Dios ama a todos los que están en el mundo. Cuando rezamos, llamamos a Dios "Padre nuestro".

Nuestra Iglesia nos enseña

Jesús nos enseñó cómo rezar. Nos dijo que llamáramos a Dios "Padre nuestro". En el **Padre Nuestro**, decimos: "Padre nuestro, que estás en el cielo, **santificado** sea tu nombre". Le decimos a Dios que su nombre es santo.

Palabras de fe

El Padre Nuestro
El Padre Nuestro es la oración que Jesús nos enseñó.

santificado
La palabra *santificado* significa "santo".

God Cares for Us

Jesus told the people that God is like a good father. God knows what everyone needs. He takes care of everyone. God wants us to pray for the things we need. Then God will give us what is good.

Our Church Teaches

Jesus taught us how to pray. He told us to call God "our Father." In the **Lord's Prayer** we say, "Our Father who art in heaven, **hallowed** be thy name." We tell God that his name is holy.

We Believe

God loves everyone in the world. When we pray, we call God "our Father."

Faith Words

Lord's Prayer
The Lord's Prayer is the prayer that Jesus taught us.

hallowed
The word hallowed means "holy."

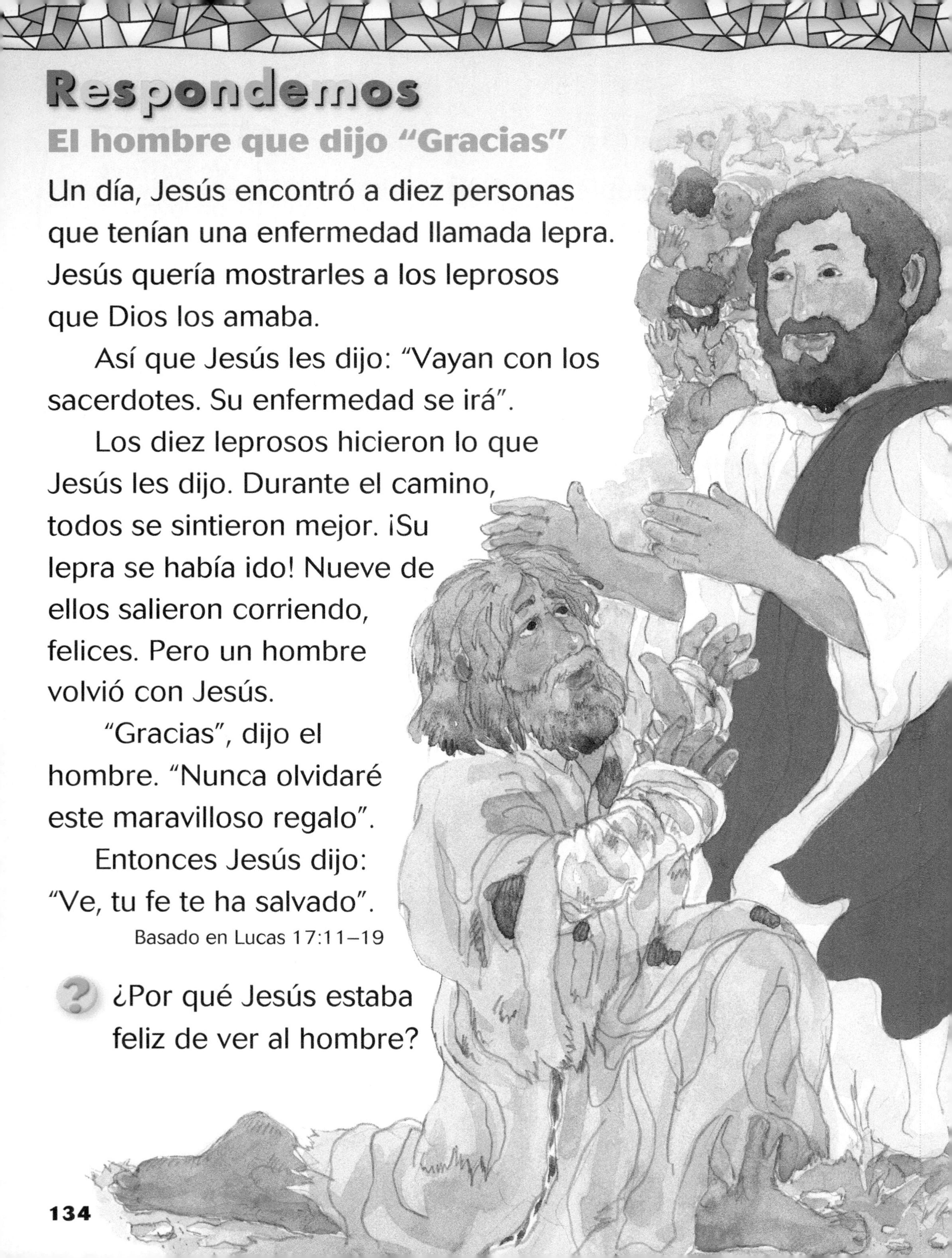

Respondemos

El hombre que dijo "Gracias"

Un día, Jesús encontró a diez personas que tenían una enfermedad llamada lepra. Jesús quería mostrarles a los leprosos que Dios los amaba.

Así que Jesús les dijo: "Vayan con los sacerdotes. Su enfermedad se irá".

Los diez leprosos hicieron lo que Jesús les dijo. Durante el camino, todos se sintieron mejor. ¡Su lepra se había ido! Nueve de ellos salieron corriendo, felices. Pero un hombre volvió con Jesús.

"Gracias", dijo el hombre. "Nunca olvidaré este maravilloso regalo".

Entonces Jesús dijo: "Ve, tu fe te ha salvado".

Basado en Lucas 17:11–19

¿Por qué Jesús estaba feliz de ver al hombre?

Respond

The Man Who Said "Thank You"

One day, Jesus met ten people who had a sickness called leprosy. Jesus wanted to show the lepers that God loved them.

So Jesus said, "Go to the priests. Your sickness will go away."

All ten lepers did as Jesus said. Along the way, all ten got better. Their leprosy was gone! Nine of them ran off happy. But one man went back to Jesus.

"Thank you," the man said. "I will never forget this wonderful gift."

Then Jesus said, "Go, your faith has saved you."

Based on Luke 17:11–19

? Why was Jesus happy to see the man?

Actividades

1. Traza las letras para completar la oración.

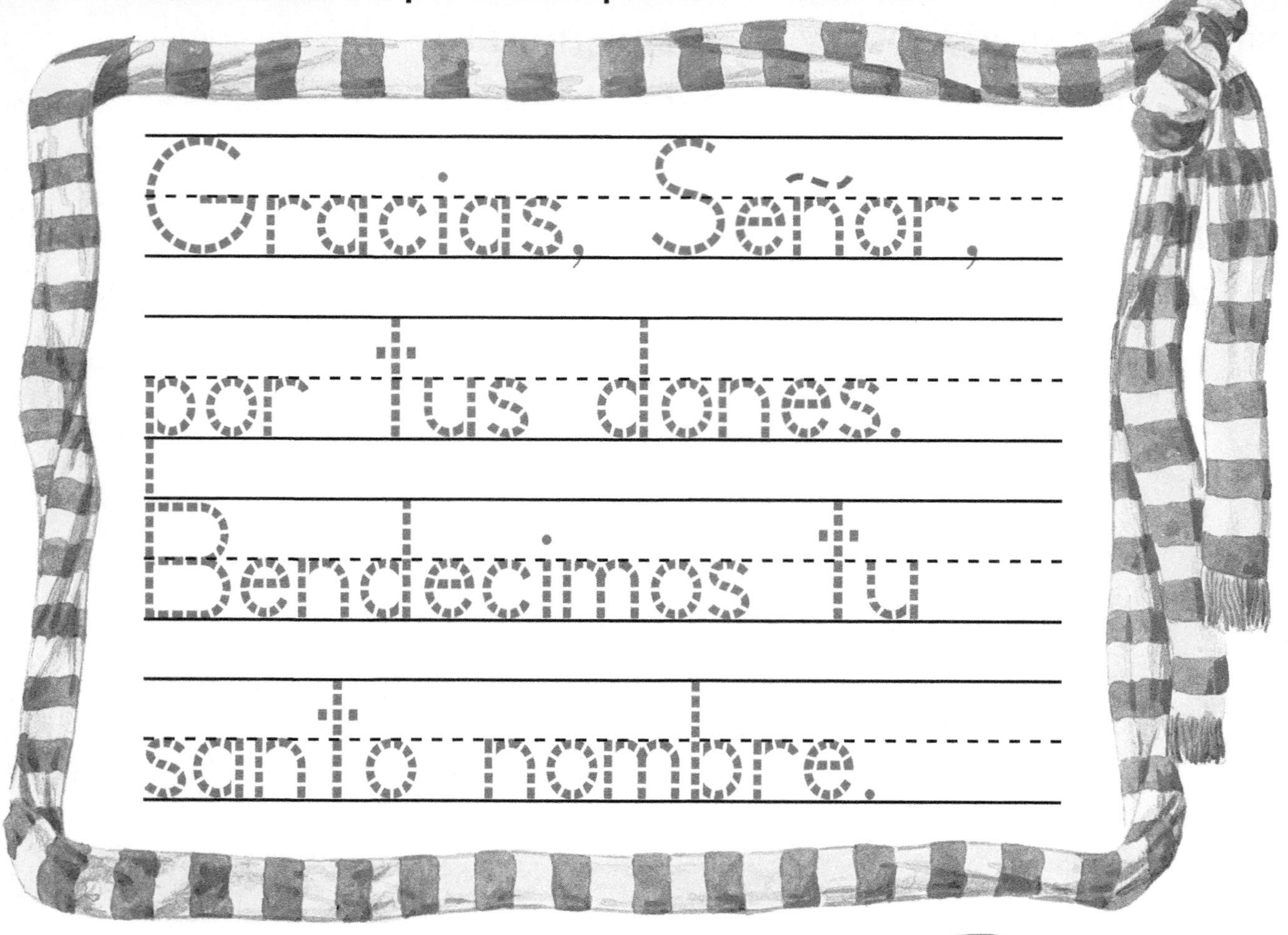

2. Dibuja un don que Dios te haya dado.

Activities

1. Trace the letters to complete the prayer.

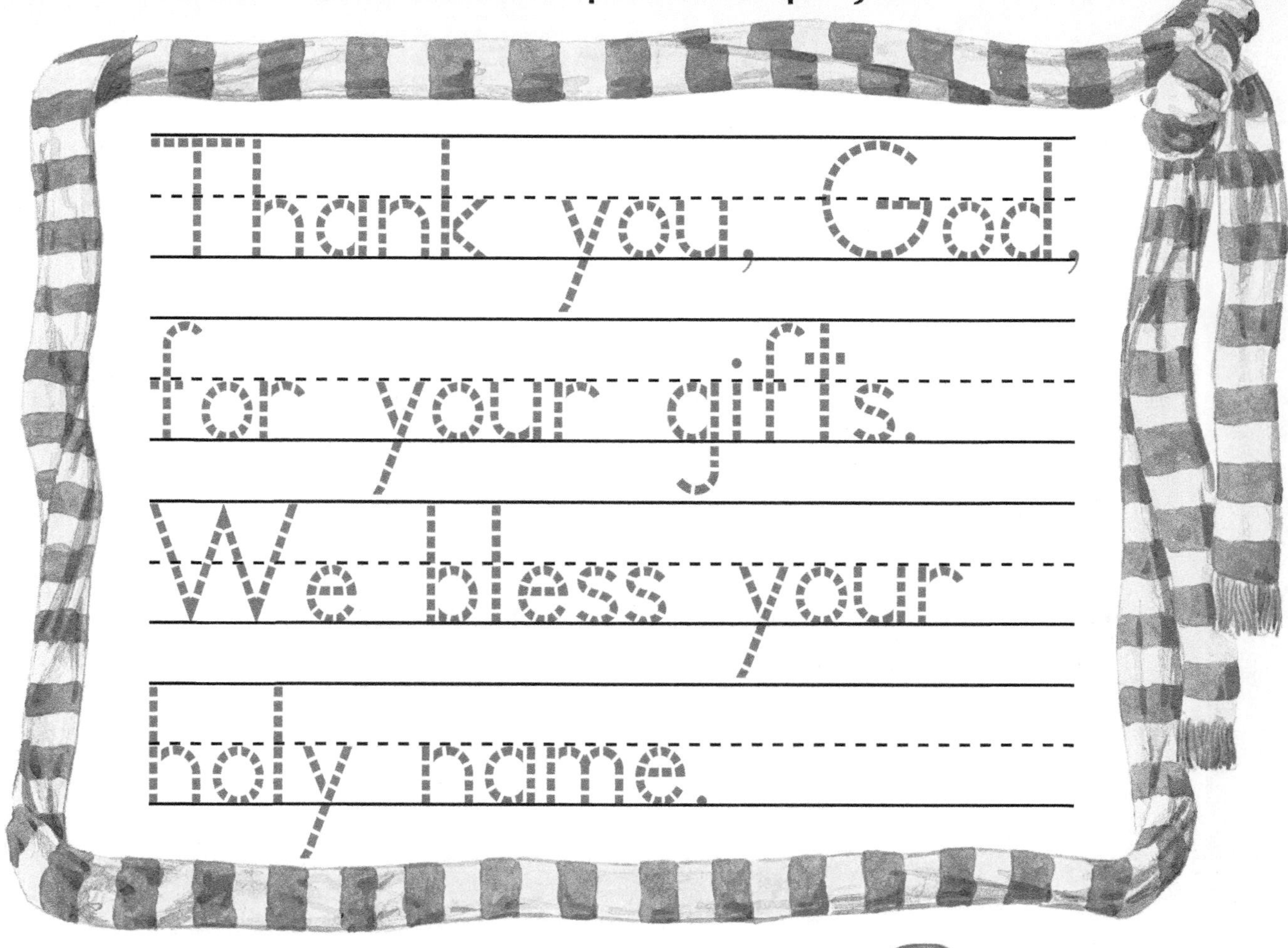

2. Draw one gift God has given you.

Celebración de la oración

Oración de agradecimiento

Líder: Podemos dar gracias a Dios con nuestros corazones.
Podemos dar gracias a Dios con nuestras voces.
Demos gracias a Dios con nuestros corazones y nuestras voces.

Lector 1: Dios, nuestro Padre, nos ama de muchas maneras. Demos gracias a Dios con nuestros corazones. (Pausa)

Lector 2: Dios, nuestro Padre, nos da muchos dones. Demos gracias a Dios con nuestras voces.

Todos los niños: **Dios, Padre nuestro, gracias por (nombra un don).**

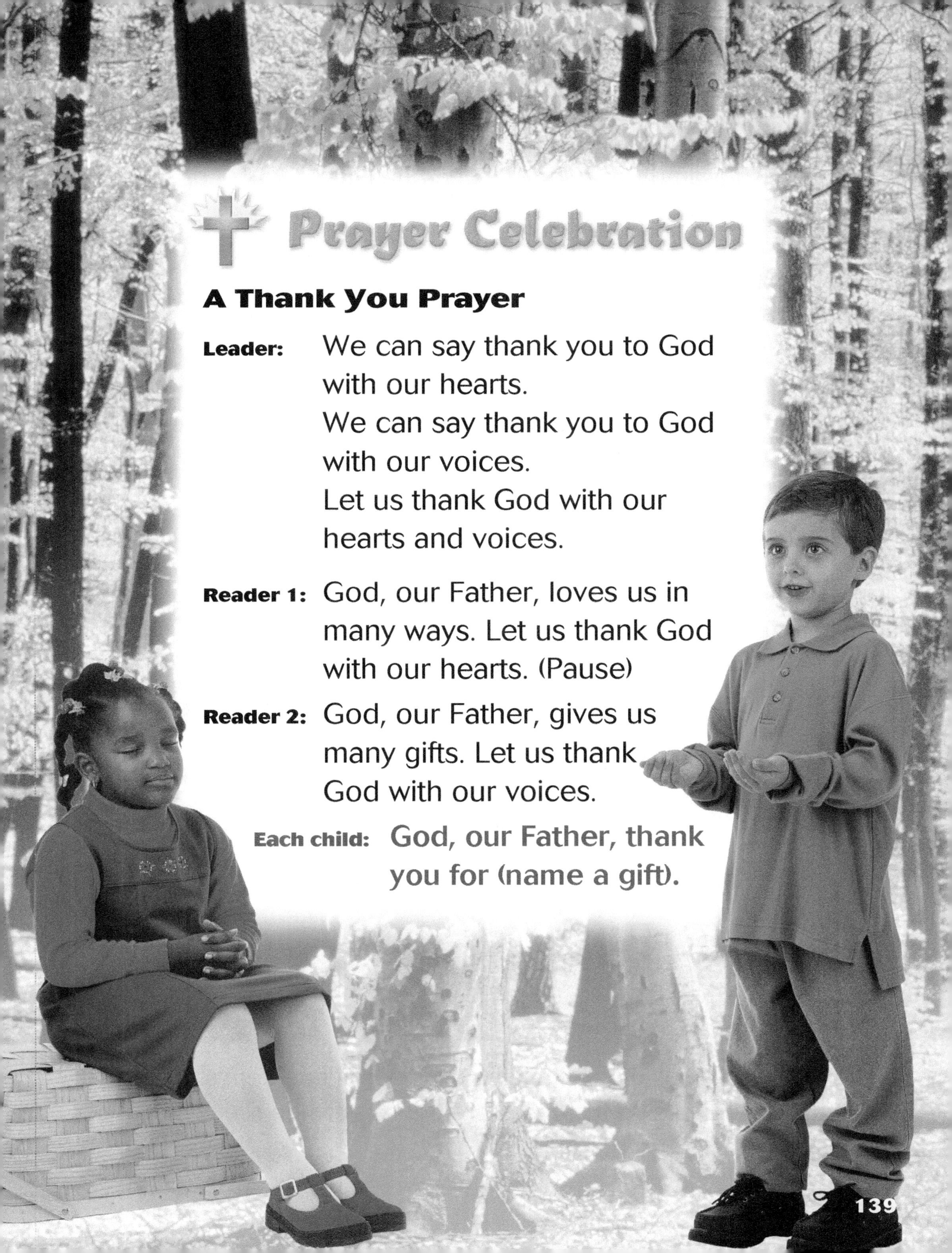

Prayer Celebration

A Thank You Prayer

Leader: We can say thank you to God with our hearts.
We can say thank you to God with our voices.
Let us thank God with our hearts and voices.

Reader 1: God, our Father, loves us in many ways. Let us thank God with our hearts. (Pause)

Reader 2: God, our Father, gives us many gifts. Let us thank God with our voices.

Each child: **God, our Father, thank you for (name a gift).**

La fe en acción

Midnight Run Algunas parroquias juntan comida y ropa para las personas desamparadas de la ciudad de Nueva York. Los desamparados no tienen un hogar donde dormir. Muchos viven en la calle o en un parque. Durante el año, los miembros del grupo Midnight Run conducen a la ciudad para darles comida y ropa a los desamparados.

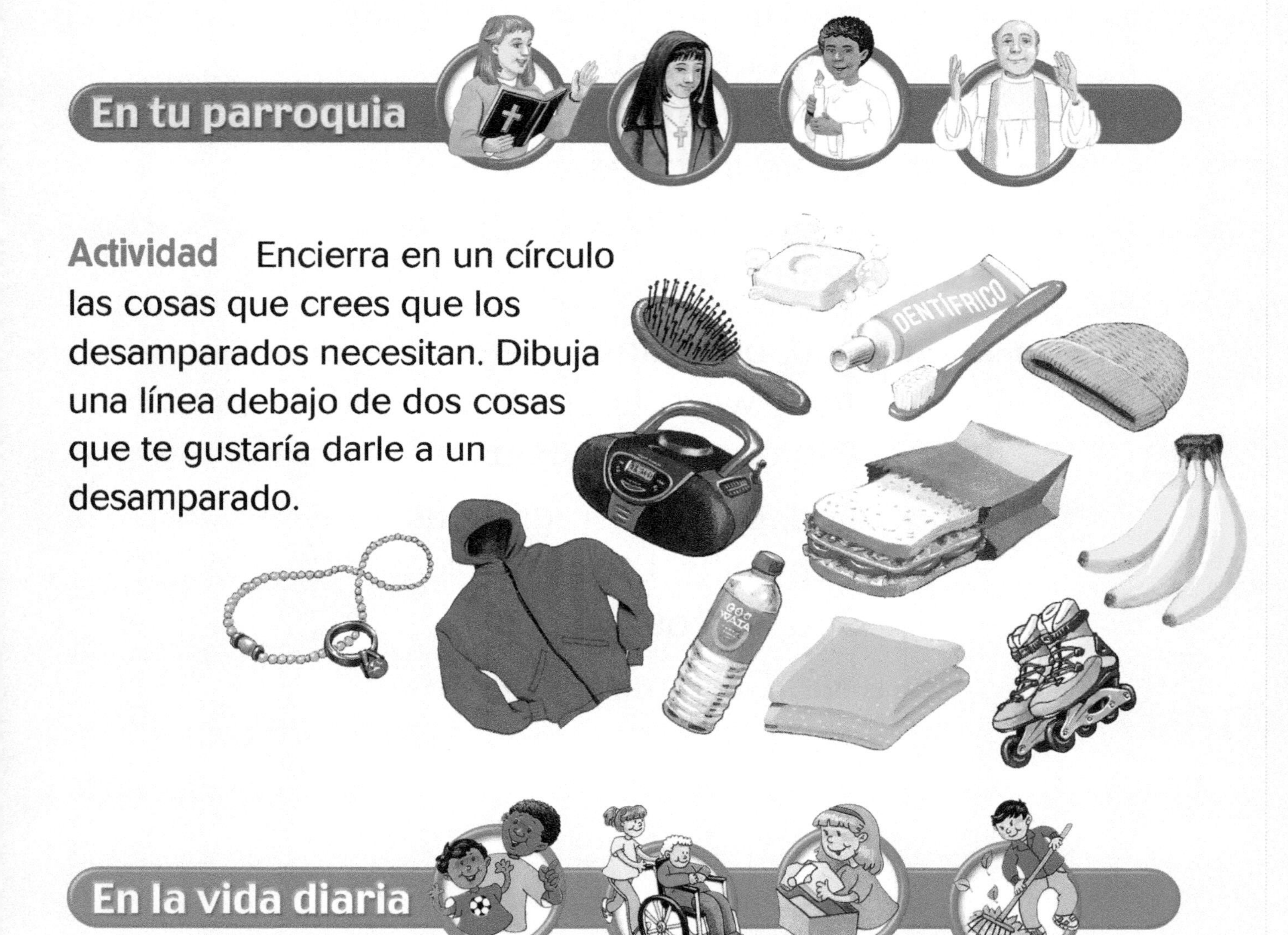

En tu parroquia

Actividad Encierra en un círculo las cosas que crees que los desamparados necesitan. Dibuja una línea debajo de dos cosas que te gustaría darle a un desamparado.

En la vida diaria

Actividad Cierra los ojos e imagínate las cosas que tienes. Mientras ves algunas de tus cosas preferidas, reza en silencio: "Gracias, Señor".

Faith in Action

Midnight Run Some parishes collect food and clothes for homeless people in New York City. Homeless people do not have a home to sleep in. Many live on the street or in a park. During the year, members of the Midnight Run group drive into the city to give the food and clothes to the homeless.

Activity Circle the things that you think homeless people need. Draw a line under two things that you would like to give a homeless person.

Activity Close your eyes and picture the things that you have. As you see some of your favorite things, silently pray, "Thank you, God."

Jesús, el Hijo de Dios

UNIDAD 3

El regalo más importante que nos ha hecho Dios es su Hijo, Jesús. Jesús nos enseñó cómo ser hijos de Dios. Jesús nos enseñó cómo cuidar los unos de los otros.

María y José, su esposo, tenían que viajar a la ciudad de Belén.
Basado en Lucas 2:1–7

María y José viajaron a Belén por un camino como éste. Jesús nació en Belén. Podemos celebrar el nacimiento de Jesús con oraciones.

God's Son, Jesus

UNIT 3

God's greatest gift to us is his Son, Jesus. Jesus showed us how to be a child of God. Jesus taught us how to care about one another.

Mary and her husband, Joseph, had to travel to the town of Bethlehem.
Based on Luke 2:1–7

Mary and Joseph traveled to Bethlehem on a road like this one. Jesus was born in Bethlehem. We can celebrate the birth of Jesus with prayer.

Hacia Belén (Alegría)

Texto: Anónimo
Musica: Tradicional de Puerto Rico

On the Road to David´s City

Text: Anonymous; tr. by Mary Louise Bringle, © 2005, GIA Publications, Inc.
Tune: Puerto Rican Traditional

9 Jesús es el Hijo de Dios

Te alabamos, oh, Señor.
Tu amor por nosotros es maravilloso.

Basado en el Salmo 136:1–4

Compartimos

Las buenas nuevas hacen felices a las personas.
Mira cada fotografía.
Di las buenas nuevas que crees que cada persona está escuchando.

9 Jesus Is God's Son

We praise you, O God.
Your love for us is wonderful.

Based on Psalm 136:1–4

Share

Good news makes people happy.
Look at each picture.
Tell the good news that you
think each person hears.

Escuchamos y creemos

La Escritura Las buenas nuevas

Hace mucho tiempo, Dios le envió el Ángel Gabriel a María. Gabriel tenía buenas nuevas para María. Le dijo a María que Dios quería que ella fuera la madre de un bebé especial. Dios quería que ella llamara Jesús al bebé. Este bebé especial sería el Hijo de Dios. María dijo: “Sí, haré todo lo que Dios quiera”.

Basado en Lucas 1:26–38

Hear & Believe

Scripture The Good News

A long time ago, God sent the Angel Gabriel to Mary. Gabriel had good news for Mary. He told Mary that God wanted her to be the mother of a special baby. God wanted her to name the baby Jesus. This special baby would be the Son of God. Mary said, "Yes, I will do whatever God wants."

Based on Luke 1:26–38

María dijo que sí

María era una joven judía que vivía en Nazaret. Era buena y santa. María escuchó el mensaje del **Ángel** Gabriel. María dijo que sí a Dios. Sería la madre del Hijo de Dios. Gabriel le dijo a María que Dios la cuidaría. María confió en Dios.

Creemos

Dios le pidió a María que fuera la madre de su Hijo, Jesús. Dios envió a Jesús para salvarnos.

Nuestra Iglesia nos enseña

Dios nos ama mucho. Dios envió a su propio Hijo, **Jesús**, para que fuera nuestro **Salvador**. Jesús nació en Belén. María y su esposo, **José**, cuidaron de Él. Jesús compartió su vida con nosotros y está siempre con nosotros.

Palabras de fe

ángel
Un ángel es un ayudante o mensajero de Dios.

Salvador
Jesús, el Hijo de Dios, es nuestro Salvador. Él nos ayuda y nos salva.

Mary Said Yes

Mary was a young Jewish woman who lived in Nazareth. She was good and holy. Mary listened to the **Angel** Gabriel's message. Mary said yes to God. She would be the mother of God's Son. Gabriel told Mary that God would watch over her. Mary trusted God.

Our Church Teaches

God loves us very much. God sent his own Son, **Jesus**, to be our **Savior**. Jesus was born in Bethlehem. Mary and her husband, **Joseph**, took care of him. Jesus shared his life with us and is always with us.

We Believe

God asked Mary to be the mother of his Son, Jesus. God sent Jesus to save us.

Faith Words

angel
An angel is a helper or messenger from God.

Savior
Jesus, the Son of God, is our Savior. He helps us and saves us.

Respondemos

Dar las buenas nuevas

A David le gusta que su padre le lea. Le encanta escuchar relatos de la Biblia sobre Jesús. Un día, el papá de David leyó acerca del nacimiento de Jesús.

David fue después a jugar a la casa de su amigo Mike. Le dio a Mike las buenas nuevas acerca de Jesús.

¿Qué crees que le dijo David a su amigo?

Respond

Telling the Good News

David likes his dad to read to him. He loves to hear Bible stories about Jesus. One day David's dad read about the birth of Jesus.

Later David went to play at his friend Mike's house. He told Mike the good news about Jesus.

? What do you think David told his friend?

1. Aprende a decir con señas las palabras, "Yo te traigo buenas nuevas". Luego comparte con los demás las buenas nuevas acerca de Jesús.

2. Colorea los espacios que tienen una **X**. ¿Qué nombre ves?

1. Learn to sign the words, "I bring you good news." Then share good news about Jesus with others.

2. Color the spaces that have an **X** in them. Whose name do you see?

Celebración de la oración

Una oración con eco

¿Alguna vez escuchaste un eco?
Puedes decir una oración con eco.
Sólo repite las palabras que escuchas.

Líder: Jesús, creemos que eres el Hijo de Dios.

Todos: **Jesús, creemos que eres el Hijo de Dios.**

Líder: Jesús, creemos que estás siempre con nosotros.

Todos: **Jesús, creemos que estás siempre con nosotros.**

Líder: Jesús, creemos que nos amas mucho.

Todos: **Jesús, creemos que nos amas mucho.**

An Echo Prayer

Did you ever hear an echo?
You can pray an echo prayer.
Just repeat the words you hear.

Leader: Jesus, we believe you are the Son of God.

All: **Jesus, we believe you are the Son of God.**

Leader: Jesus, we believe you are always with us.

All: **Jesus, we believe you are always with us.**

Leader: Jesus, we believe you love us very much.

All: **Jesus, we believe you love us very much.**

La fe en acción

El ministerio del mantón Los miembros de la Parroquia San Francisco de Sales tejen mantones para las personas que están solas y enfermas. Cada tejedor reza por la persona que tendrá el mantón. Los mantones les llevan las bendiciones de amor y paz de Dios a muchas personas.

Actividad ¿Cómo muestra tu parroquia que cuida de las personas solas y enfermas? Escribe una nota a una persona sola o enferma. Dile a la persona que tú rezarás por ella.

Actividad Podemos amar y cuidar de las personas de muchas maneras. ¿Cómo le puedes mostrar tu amor a alguien de tu familia? ¿Qué puedes hacer para hacer sentir especial a un amigo?

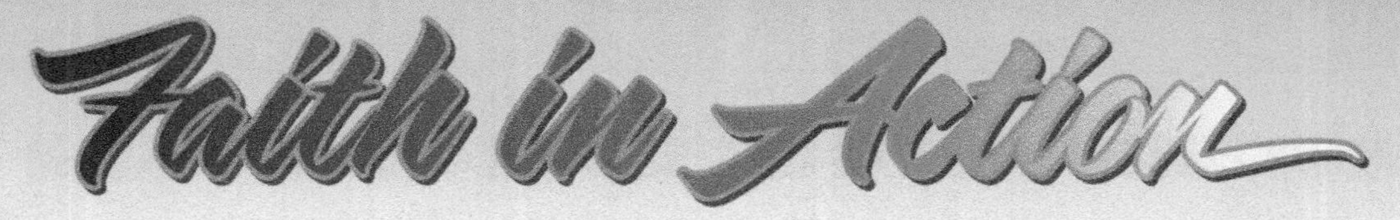

Shawl Ministry Members of St. Francis de Sales Parish knit shawls for sick and lonely people. Each knitter prays for the person who will get the shawl. The shawls bring God's blessings of love and peace to many people.

In Your Parish

Activity How does your parish show that it cares for sick and lonely people? Write a note to a sick or lonely person. Tell the person that you will pray for him or her.

In Everyday Life

Activity We can love and care for people in many ways. How can you show your love to someone in your family? What can you do to make a friend feel special?

10 Celebramos el don de la Eucaristía

Cuando comas este pan y bebas de esta copa de vino, acuérdate de mí.

Basado en Lucas 22:19–20

Compartimos

Las comidas especiales pueden ser divertidas.
Hay buenos alimentos.
Hay personas que nos gustan.

Planea una comida especial para tu familia. Encierra en un círculo los alimentos que quieres en esta comida.

Dibuja otro alimento que te gustaría tener en esta comida.

10 We Celebrate the Gift of Eucharist

When you eat this bread and drink from this cup of wine, remember me.

Based on Luke 22:19–20

Share

Special meals can be fun.
There is good food.
There are people we like.

Plan a special meal for your family.
Circle the foods you want at this meal.

Draw another food you would like to eat at this meal.

Escuchamos y creemos

El culto Una comida especial

La noche antes de morir, Jesús tuvo una comida especial con sus amigos. A esa comida la llamamos la Última Cena. Esto es lo que Jesús dijo e hizo.

Jesús tomó pan de la mesa. Le dio gracias a Dios y lo alabó. Luego partió el pan. Se lo dio a sus amigos y les dijo: “Tomen este pan y coman de él. Éste es mi cuerpo”.

Cuando la cena terminó, Jesús tomó una copa de vino. Dio gracias a Dios. Les dio la copa a sus amigos y les dijo: “Tomen esto y beban. Éste es el cáliz de mi sangre”.

Basado en la Plegaria Eucarística para las Misas con Niños I

Hear & Believe

Worship A Special Meal

On the night before he died, Jesus ate a special meal with his friends. We call this meal the Last Supper. Here is what Jesus said and did.

Jesus took bread from the table. He gave God thanks and praise. Then he broke the bread. He gave it to his friends and said, "TAKE THIS, ALL OF YOU, AND EAT OF IT, FOR THIS IS MY BODY."

When supper was ended, Jesus took a cup of wine. He thanked God. He gave the cup to his friends and said, "TAKE THIS, ALL OF YOU, AND DRINK FROM IT, FOR THIS IS THE CHALICE OF MY BLOOD."

Based on Eucharistic Prayers for Masses with Children I

Jesús está con nosotros

En la **Última Cena**, Jesús compartió el don de sí mismo con sus amigos. Ahora Jesús llega a nosotros en la **Eucaristía**. En la Misa, recordamos todo lo que Jesús hizo y dijo en la Última Cena. Después de la Misa, la Eucaristía se guarda en el **tabernáculo**, para los enfermos.

Nuestra Iglesia nos enseña

Jesucristo está presente en la Eucaristía. Cuando recibimos la Sagrada Comunión, recibimos el Cuerpo y la Sangre de Jesucristo. **Cristo** es otro nombre para Jesús. Nos recuerda que Jesús fue enviado por Dios para salvar a todas las personas.

Creemos

Jesucristo está presente en la Eucaristía. La Eucaristía es un signo del amor de Dios por nosotros.

Palabras de fe

Última Cena
La Última Cena es la comida especial que Jesús compartió con sus amigos. Jesús les dio el don de sí mismo.

Eucaristía
La Eucaristía es una comida especial que Jesús comparte con nosotros ahora. Recibimos el Cuerpo y la Sangre de Jesucristo.

Jesus Is with Us

At the **Last Supper**, Jesus shared the gift of himself with his friends. Today Jesus comes to us in the **Eucharist**. At Mass, we remember all that Jesus did and said at the Last Supper. After Mass, the Eucharist is kept in the **tabernacle** for the sick.

We Believe

Jesus Christ is present in the Eucharist. The Eucharist is a sign of God's love for us.

Our Church Teaches

Jesus **Christ** is present in the Eucharist. When we receive Holy Communion, we receive the Body and Blood of Jesus Christ. Christ is another name for Jesus. It reminds us that Jesus was sent by God to save all people.

Faith Words

Last Supper
The Last Supper is the special meal that Jesus shared with his friends. Jesus gave them the gift of himself.

Eucharist
The Eucharist is a special meal that Jesus shares with us today. We receive the Body and Blood of Jesus Christ.

Respondemos

Santa Katharine Drexel

De niña, Katharine iba a Misa con su familia. Ella sabía que el pan y el vino se convierten en el Cuerpo y la Sangre de Cristo. Katharine aprendió que la Eucaristía en el tabernáculo se llama **Santísimo Sacramento**.

Los padres de Katharine ayudaban a los necesitados. Katharine quería ayudar también.

Cuando creció, Katharine ayudó a los indígenas americanos y a los afroamericanos. Pagó por la construcción de escuelas para ellos. Katharine inició una comunidad llamada las Hermanas del Santísimo Sacramento. Ella y las hermanas les enseñaron a los demás acerca de la Eucaristía. Compartieron las buenas nuevas acerca de Jesús.

? ¿Cómo mostró Katharine su amor por Jesús?

Santa Katharine Drexel, por el hermano Michael O'Neill McGrath, Bee Still Studios

Respond

Saint Katharine Drexel

As a child, Katharine went to Mass with her family. She knew that the bread and wine are changed into the Body and Blood of Christ. Katharine learned that the Eucharist in the tabernacle is called the **Blessed Sacrament**.

Katharine's parents helped people in need. Katharine wanted to help, too.

When she grew up, Katharine helped Native Americans and African Americans. She paid to have schools built for them. Katharine started a community called the Sisters of the Blessed Sacrament. She and the sisters taught others about the Eucharist. They shared the good news about Jesus.

Saint Katharine Drexel by Brother Michael O'Neill McGrath, Bee Still Studios

? How did Katharine show her love for Jesus?

Actividades

1. Estos objetos nos ayudan a recordar a Jesús. Conecta los puntos. ¿Qué ves?

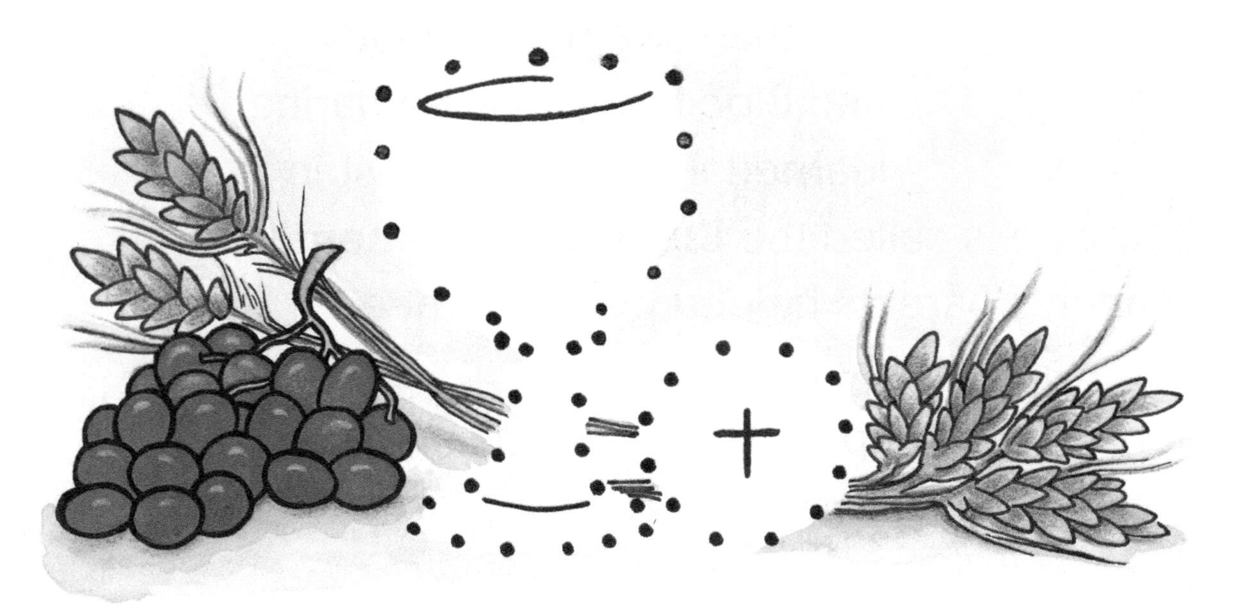

2. ¿Recuerdas lo que Jesús dijo en la Última Cena?

   Completa las frases.

   Tomen este pan y coman de él. Éste es mi

   ______________________________________.

   Tomen esto y beban.
   Éste es el cáliz de mi

   ______________________________________.

Activities

1. These objects help us remember Jesus.

   Connect the dots. What do you see?

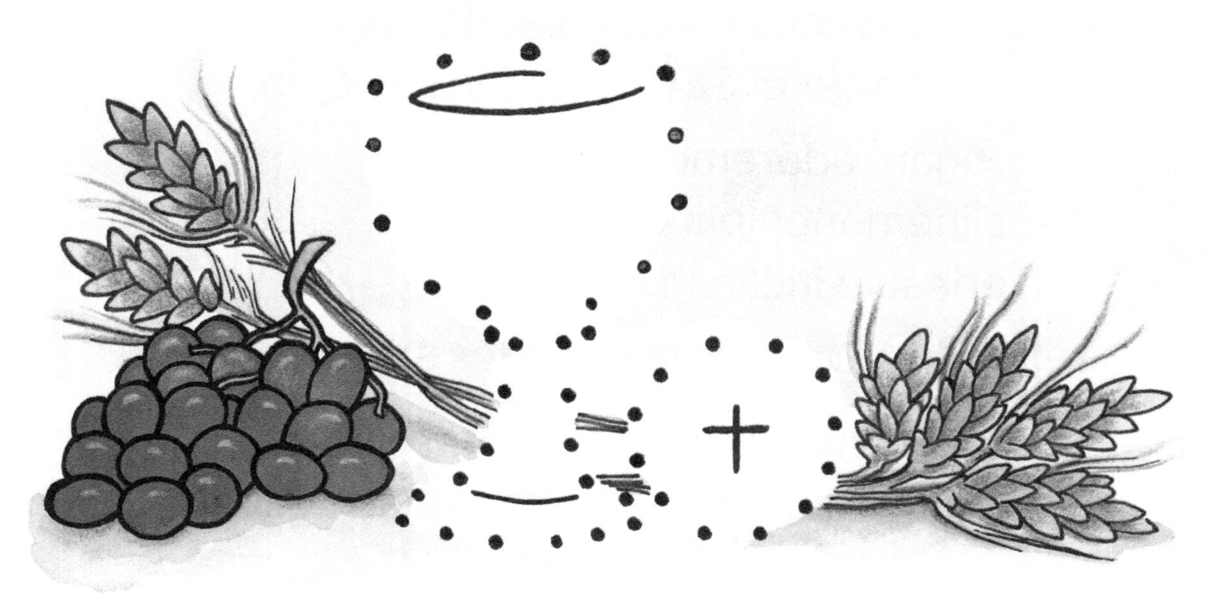

2. Do you remember what Jesus said at the Last Supper?

   Finish the sentences.

   Take this bread and eat it. This is my

   ______________________________________.

   Take this and drink from it.
   This is the cup of my

   ______________________________________.

Celebración de la oración

Oración de adoración

Adoramos a Jesucristo arrodillándonos o inclinándonos ante el Santísimo Sacramento.

Líder: Vengan, adoremos al Señor, e inclinémonos para venerarlo. (Todos se inclinan.)

Todos: **Señor, te adoramos. (Todos se levantan.)**

Líder: Arrodillémonos ante el Señor doblando la pierna izquierda. (Todos se arrodillan.)

Todos: **Señor, te adoramos. (Todos se ponen de pie.)**

Líder: Arrodillémonos ante el Señor doblando la pierna derecha. (Todos se arrodillan.)

Todos: **Señor, te adoramos. (Todos se ponen de pie.)**

Líder: Arrodillémonos ante el Señor doblando ambas piernas. (Todos se arrodillan.)

Todos: **Señor, te adoramos. (Todos se ponen de pie.)**

Basado en el Salmo 95:6–7 y en el Rito maronita para arrodillarse

A Prayer of Adoration

We **adore** Jesus Christ by kneeling or bowing before the Blessed Sacrament.

Leader: Come let us adore the Lord, and bow down in worship. (All bow.)

All: **Lord, we adore you. (All rise.)**

Leader: Let us kneel before the Lord on the left knee. (All kneel.)

All: **Lord, we adore you. (All stand.)**

Leader: Let us kneel before the Lord on the right knee. (All kneel.)

All: **Lord, we adore you. (All stand.)**

Leader: Let us kneel before the Lord on both knees. (All kneel.)

All: **Lord, we adore you. (All stand.)**

Based on Psalm 95:6–7 and the Maronite Rite of Kneeling

La fe en acción

Ayudantes especiales en la Misa Muchas personas le ayudan al sacerdote a celebrar la Misa. Algunos ayudantes dan la Comunión. Los ayudantes dicen "El Cuerpo de Cristo" o "La Sangre de Cristo" a cada persona que llega a ellos. Cada persona responde: "Amén". Estos ayudantes se llaman ministros extraordinarios de la Sagrada Comunión.

Actividad Algunos ayudantes especiales llevan la Eucaristía a las personas enfermas. Usa el código para completar la siguiente frase.

La Eucaristía para los enfermos se guarda en el

___ ___ ___ ___ ___ ___ ___ ___ ___ ___ ___.

Actividad Piensa en las comidas que compartes con tu familia. ¿Cómo puedes ayudar a que el momento de la comida con tu familia sea especial?

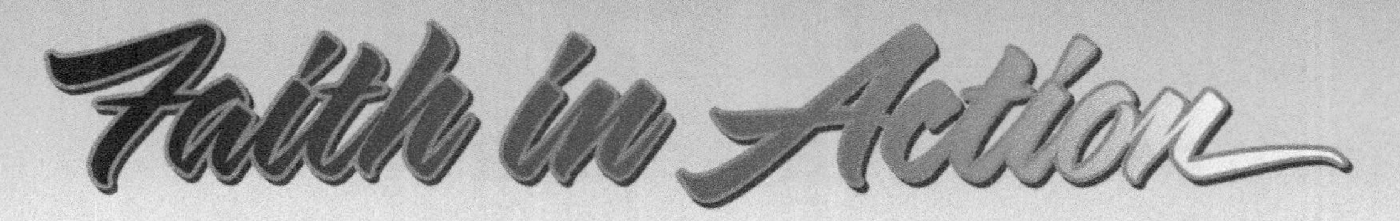

Special Helpers at Mass Many people help a priest celebrate Mass. Some helpers give out Communion. The helpers say, "The Body of Christ" or "The Blood of Christ" to each person who comes to them. Each person answers, "Amen." These helpers are called Extraordinary Ministers of Holy Communion.

In Your Parish

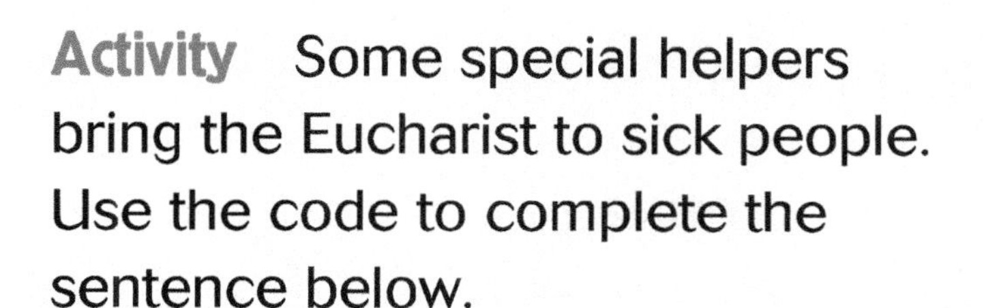

Activity Some special helpers bring the Eucharist to sick people. Use the code to complete the sentence below.

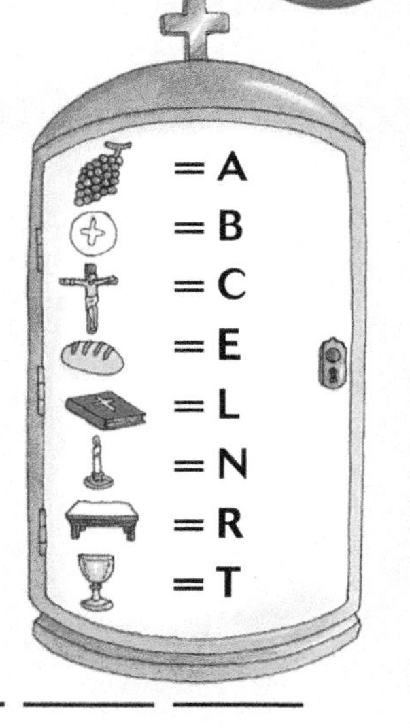

The Eucharist for sick people is kept in the

____ ____ ____ ____ ____ ____ ____ ____ ____ ____ .

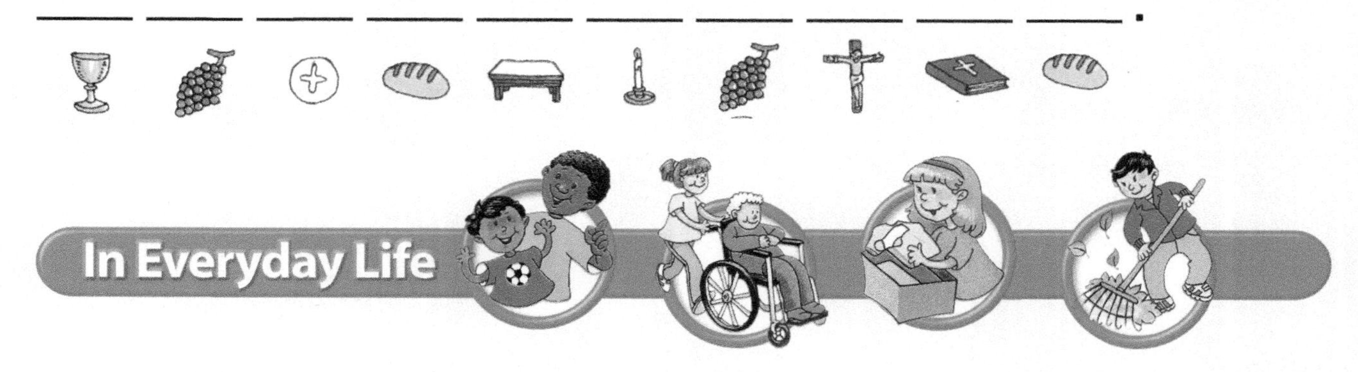

In Everyday Life

Activity Think about the meals you share with your family. How can you help make your family mealtime special?

11 Jesús nos enseña acerca del perdón

Perdóname, oh, Señor, porque he pecado.

Basado en Lucas 18:13

Compartimos

A veces hacemos lo que es correcto.

A veces hacemos lo que es incorrecto.

Mira estas ilustraciones.

Dibuja una ☺ si la acción es buena.

Dibuja una ☹ si la acción es incorrecta.

11 Jesus Teaches Us about Forgiveness

Forgive me, O God, for I have done wrong.

Based on Luke 18:13

Share

Sometimes we do what is right.

Sometimes we do what is wrong.

Look at these pictures.

Draw a ☺ if the action is right.

Draw a ☹ if the action is wrong.

Escuchamos y creemos

La Escritura *Jesús perdona*

Zaqueo era muy bajo. Se subió a un árbol para poder ver a Jesús. Jesús vio a Zaqueo en el árbol. "Baja", dijo Jesús. "Quiero comer contigo".

Con alegría, Zaqueo bajó. Llevó a Jesús a su casa. Las personas estaban molestas. Decían que Zaqueo era un pecador.

Zaqueo miró a Jesús. "Lo siento si engañé a alguno", dijo. "Devolveré más de lo que robé".

Jesús asintió y dijo: "Yo te perdono. Dios, mi Padre, también te perdona".

Basado en Lucas 19:1–10

Hear & Believe

Scripture Jesus Forgives

Zacchaeus was very short. He climbed a tree so that he could see Jesus. Jesus saw Zacchaeus in the tree. “Come down,” Jesus said. “I want to eat dinner with you.”

Happily Zacchaeus climbed down. He took Jesus to his house. The people were upset. They said that Zacchaeus was a sinner.

Zacchaeus looked at Jesus. He said, “I’m sorry if I cheated anyone. I will give back more than I stole.”

Jesus nodded and said, “I forgive you. God, my Father, forgives you, too.”

Based on Luke 19:1–10

Lo que Jesús quiere

Zaqueo era un hombre egoísta. Pero estaba arrepentido y empezó a ayudar a los demás. Jesús amaba a Zaqueo y lo perdonó. Jesús quiere que nosotros amemos a Dios y a los demás. Dios quiere que cuando no actuemos de manera amorosa, nos arrepintamos. Dios siempre nos va a **perdonar**.

Nuestra Iglesia nos enseña

Jesús quiere que obedezcamos las leyes de Dios que nos ayudan a elegir lo que es correcto. A veces elegimos hacer lo que es incorrecto. Esto se llama **pecado**. Nos apartamos de Dios cuando pecamos. El pecado también daña nuestra amistad con los demás. Dios nunca deja de amarnos. Él está siempre dispuesto a perdonarnos.

Creemos

Dios nos ama y está siempre dispuesto a perdonarnos. Cuando pecamos, Dios quiere que nos arrepintamos.

Palabras de fe

perdonar
Perdonar significa "excusar o disculpar".

pecado
Un pecado es la elección de hacer algo que sabemos que está mal.

What Jesus Wants

Zacchaeus was a selfish man. But he was sorry and began to help others. Jesus loved Zacchaeus and forgave him. Jesus wants us to love God and others. When we do not act in a loving way, God wants us to be sorry. God will always **forgive** us.

We Believe

God loves us and is always ready to forgive us. When we sin, God wants us to be sorry.

Our Church Teaches

Jesus wants us to obey God's laws. The laws of God help us know and choose what is right. Sometimes we choose to do what is wrong. This is called **sin**. We turn away from God when we sin. Sin also hurts our friendship with other people. God never stops loving us. He is always ready to forgive us.

Faith Words

forgive
Forgive means "to excuse or to pardon."

sin
Sin is choosing to do something we know is wrong.

Respondemos

Un relato de perdón

Ricky jugaba a los videojuegos una y otra vez. Su mamá le pidió que parara. Le dijo que hiciera la tarea. Ricky estaba enojado y le dijo a su mamá algo malo. Así que ella lo mandó a su habitación.

Ricky se recostó sobre su cama. Oyó a sus padres mientras hablaban. Oyó a sus hermanas mientras jugaban. Quería estar con ellos. Pero pronto se quedó dormido.

Cuando Ricky se despertó, vio un tazón de sopa caliente en su mesa. Al lado de la sopa había una nota de su mamá.

¿Qué crees que decía la nota?

Respond

A Forgiveness Story

Ricky played his video game over and over again. His mom told him to stop. She told Ricky to do his homework. Ricky was angry and said something mean to his mom. So she sent him to his room.

Ricky lay on his bed. He heard his parents talking. He heard his little sisters playing. He wanted to be with them. But soon Ricky fell asleep.

When Ricky awoke, he saw a bowl of hot soup on his table. Next to the soup was a note from his mom.

? What do you think the note said?

Actividades

1. Escribe las respuestas en los renglones.
   Si lastimas a alguien, ¿qué puedes decir?

   ____

   ____

   ____.

   Alguien está arrepentido de haberte lastimado.
   ¿Qué puedes decir?

   ____

   ____

   ____.

2. Colorea de verde los espacios marcados con una †.
   Colorea los demás espacios como te guste.
   ¿Qué palabras ves?

Activities

1. Write the answers on the lines.

If you hurt someone, what can you say?

____

______________________________.

Someone is sorry for hurting you. What can you say?

____

______________________________.

2. Color the spaces marked with a † green.

Color the other spaces as you like.

What words do you see?

Celebración de la oración

Oración por la misericordia de Dios

En la Misa le decimos a Dios que nos arrepentimos de nuestros pecados. Después rezamos por la **misericordia** de Dios o su amoroso perdón.

Líder: Inclinemos nuestras cabezas y pensemos de qué maneras no hemos amado a Dios y a los demás. (Pausa.)

Líder: Por las veces que hemos lastimado a los demás,

Todos: **Señor, ten piedad.**

Líder: Por las veces que no hemos dicho la verdad,

Todos: **Cristo, ten piedad.**

Líder: Por las veces que no hemos dicho "Lo siento",

Todos: **Señor, ten piedad.**

Prayer Celebration

A Prayer for God's Mercy

At Mass we tell God we are sorry for our sins. Then we pray for God's **mercy**, or loving forgiveness.

Leader: Let us bow our heads and think about ways we have failed to love God and others. (Pause.)

Leader: For the times we have hurt others,

All: **Lord, have mercy.**

Leader: For the times we have not told the truth,

All: **Christ, have mercy.**

Leader: For the times we have not said, "I am sorry,"

All: **Lord, have mercy.**

La fe en acción

Trabajadores de la parroquia Cada parroquia tiene trabajadores que hacen tareas importantes. La secretaria responde el teléfono, escribe el boletín de la parroquia y mantiene al día la lista de los miembros de la parroquia. El conserje limpia la iglesia y se asegura de que funcionen las luces, la calefacción y el aire acondicionado. Se debe respetar a todos los trabajadores de la parroquia y tratarlos con amabilidad.

En tu parroquia

Actividad ¿Quiénes son algunos de los trabajadores de tu parroquia? ¿Qué tareas hacen? ¿Cómo puede tu parroquia mostrar respeto hacia sus trabajadores?

En la vida diaria

Actividad Las personas trabajan para obtener las cosas que necesitan para ellos y para su familia. Las personas necesitan comida, agua, una casa, ropa, libros y atención médica.

Encuentra ilustraciones de estas seis necesidades y enciérralas en un círculo.

Faith in Action

Parish Workers Each parish has workers who do important jobs. The secretary answers the phone, types the parish bulletin, and keeps the list of parish members up to date. The custodian cleans the church and makes sure the lights, heat, and air conditioner work. All parish workers should be respected and treated fairly.

Activity Who are some of the workers in your parish? What jobs do they do? How can your parish show respect for its workers?

In Everyday Life

Activity People work to get the things they need for themselves and for their families.
People need food, water, a house, clothes, books, and a doctor's care.

Find and circle pictures of these needs.

12 Rezamos con la Palabra de Dios

Señor, enséñanos a rezar.

Basado en Lucas 11:1

Compartimos

Las personas rezan de muchas maneras. Piensa en la forma en que tú rezas. ¿Cómo hablas con Dios y cómo lo escuchas?

Marca una **X** en cada fotografía que muestre cómo rezas.

Encierra en un círculo tu forma preferida de rezar.

12 We Pray with God's Word

Lord, teach us how to pray.

Based on Luke 11:1

Share

People pray in many ways. Think about how you pray. How do you talk to and listen to God?

Mark an **X** in each picture that shows how you pray.

Circle your favorite way to pray.

Escuchamos y creemos

La Escritura La oración de Jesús

La Biblia nos dice cómo y dónde rezaba Jesús. Rezaba con su corazón y con su voz. Rezaba con su mente.

Jesús rezaba con su familia en el **Templo.** Jesús rezaba solo en el desierto. A veces rezaba en una montaña. A veces rezaba en un bote.

Después de la Última Cena, Jesús cantó **salmos** con sus amigos. Luego fue al huerto a rezar.

El Templo de Jerusalén

Lucas 2:41–52

Desierto del relato bíblico

Lucas 4:1

Montaña del relato bíblico

Mateo 14:23

Hear & Believe

Scripture The Prayer of Jesus

The Bible tells us how and where Jesus prayed. He prayed with his heart and his voice. He prayed with his mind.

Jesus prayed with his family in the **Temple.** Jesus prayed alone in the desert. Sometimes he prayed on a mountain. Sometimes he prayed in a boat.

After the Last Supper, Jesus sang **psalms** with his friends. Then he went into a garden to pray.

The Temple in Jerusalem

Luke 2:41–52

A Bible land desert

Luke 4:1

A Bible land mountain

Matthew 14:23

Rezar como Jesús

Podemos aprender a rezar como Jesús. Podemos rezar en voz alta. Podemos rezar en silencio, con nuestro corazón y nuestra mente. Podemos rezar a solas o con otras personas. Podemos rezar en cualquier lugar y en cualquier momento.

Creemos

Pensar en la palabra de Dios es una buena forma de rezar. Nos ayuda a acercarnos a Jesús.

Nuestra Iglesia nos enseña

Podemos rezar con relatos del **Evangelio** sacados de la Biblia. Los Evangelios son la Buena Nueva acerca de Jesús. Nos dicen cómo mostrar nuestro amor por Dios y por los demás. Nos acercamos a Jesús cuando rezamos con los Evangelios.

Palabras de fe

salmos
Los salmos son oraciones que la gente a menudo canta. El Libro de los Salmos está en la Biblia.

Evangelio
El Evangelio es la Buena Nueva de Jesús. Hay cuatro Evangelios en la Biblia.

El mar de Galilea

Mateo 14:13

El huerto de Getsemaní

Mateo 26:30

Praying Like Jesus

We can learn to pray like Jesus. We can pray aloud with our voices. We can pray silently with our hearts and minds. We can pray alone or with other people. We can pray anywhere and any time.

We Believe

Thinking about God's word is a good way to pray. It helps us get closer to Jesus.

Our Church Teaches

We can pray with **Gospel** stories from the Bible. The Gospels are the Good News of Jesus. They tell us how to show our love for God and other people. We grow closer to Jesus when we pray with the Gospels.

Faith Words

psalms
Psalms are prayers that people often sing. The Book of Psalms is in the Bible.

Gospel
The Gospel is the Good News of Jesus. There are four Gospels in the Bible.

The Sea of Galilee

Matthew 14:13

The Garden of Gethsemane

Matthew 26:30

Respondemos

Rezar con la Palabra de Dios

Hay cuatro pasos al rezar con un relato del Evangelio.

Relájate | Mira y escucha | Imagina | Piensa

Relájate Cierra los ojos. Quédate quieto. Pídele a Dios que llene tu corazón y tu mente.

Mira y escucha Mira la ilustración de Jesús y los niños en las páginas 196 y 197. Escucha el relato de la Biblia.

Jesús bendice a los niños

Jesús había estado enseñando todo el día. Estaba cansado y se sentó a descansar.

Muchos padres empezaron a traerle a sus hijos. Querían que Jesús los bendijera. Pero los amigos de Jesús les dijeron a estas personas que no lo molestaran.

Cuando Jesús vio lo que pasaba, dijo: "No los detengan. Dejen que los niños se acerquen. Amo a los niños". Luego Jesús puso sus manos sobre los niños y les dio su bendición.

Basado en Marcos 10:10–16

Respond

Praying with God's Word

There are four steps in praying with a Gospel story.

Relax | Look and Listen | Imagine | Think

Relax Close your eyes. Become quiet. Ask God to fill your heart and mind.

Look and Listen Look at the picture of Jesus and the children on pages 196 and 197. Listen to the Bible story.

Jesus Blesses the Children

Jesus had been teaching all day. He was tired and sat down to rest.

Many parents started to bring their children to Jesus. They wanted Jesus to bless the children. But Jesus' friends told the people not to bother Jesus.

When Jesus saw this, he said, "Don't stop them. Let the children come closer. I love little children." Then Jesus placed his hands on the children. He gave them his blessing.

Based on Mark 10:10–16

Imagina Colócate en el relato. Imagina que tus padres te llevan a ver a Jesús. Está en una cuesta con sus amigos. Jesús está sentado debajo de un árbol.

Piensa Colócate en el relato. Hazte estas preguntas:

¿Te ve Jesús?
¿Vas hacia Él?
¿Qué le dices a Jesús?
¿Qué te dice Jesús?

Actividad

Dibújate en la ilustración con Jesús y los niños.

Imagine Put yourself in the story. Imagine that your parents are taking you to see Jesus. He is on a hillside with his friends. Jesus is sitting under a tree.

Think Put yourself into the story. Ask yourself these questions.

Does Jesus see you?
Do you go up to him?
What do you say to Jesus?
What does Jesus say to you?

Activity

Draw yourself in the picture with Jesus and the children.

Celebración de la oración

Una oración actuada

Puedes rezar al representar un relato de la Biblia. Representar una obra te ayuda a pensar acerca del relato. Puedes imaginar lo que las personas hicieron y dijeron.

Representa el relato de Jesús bendiciendo a los niños.

Prayer Celebration

An Acting Prayer

You can pray by acting out a Bible story. Putting on a play helps you to think about the story. You can imagine what the people said and did.

Act out the story of Jesus blessing the children.

La fe en acción

Rezar con la Escritura Todas las semanas, en muchas parroquias se reúnen pequeños grupos a rezar. Leen el pasaje de la Escritura para la Misa del domingo siguiente. Piensan en las lecturas. Comparten sus pensamientos. Luego rezan acerca de cómo pueden mostrar su amor por Dios y por los demás.

En tu parroquia

Actividad Piensa en preguntas que puedes hacerle al grupo de oración de tu parroquia. Planea contarles cómo rezas con un relato del Evangelio. Luego puedes ser maestro de oración.

En la vida diaria

Actividad Elige uno de los lugares donde Jesús rezó y enciérralo en un círculo.

desierto **montaña**

huerto **bote**

Haz un dibujo de ti mismo rezando con Jesús en ese lugar.

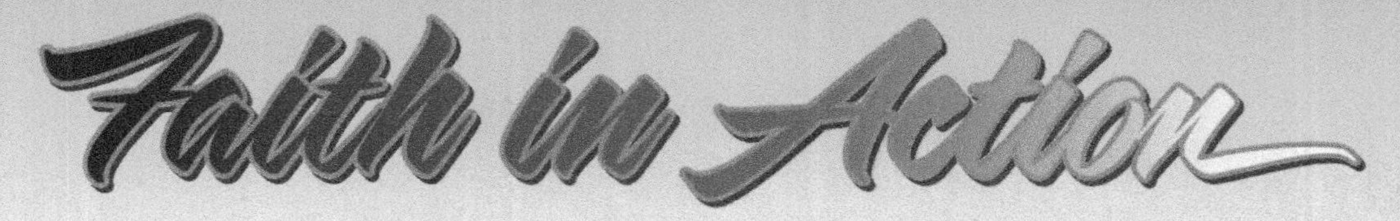

Praying with Scripture Each week in many parishes, small groups gather to pray. They read the Scripture readings for the next Sunday's Mass. They think about the readings. They share their thoughts. Then they pray about how they can show their love for God and others.

In Your Parish

Activity Think of questions to ask your parish's prayer group. Plan to tell them how you pray with a Gospel story. Then you can be a teacher of prayer.

In Everyday Life

Activity Choose and circle one of the places where Jesus prayed.

desert **mountain**

garden **boat**

Draw a picture of yourself praying with Jesus in that place.

El Espíritu Santo

UNIDAD 4

Jesús nos envía al Espíritu Santo para que nos ayude a vivir como seguidores de Jesús. Es difícil saber lo que Dios quiere que hagamos. Podemos rezarle al Espíritu Santo para que nos ayude.

Sigamos al Espíritu Santo.
Basado en Gálatas 5:25

Pablo viajó a diferentes ciudades en un bote como éste. Les enseñó a las personas que el Espíritu Santo es nuestro ayudante. Cuando amamos a los demás, el Espíritu Santo nos ayuda a ser caritativos.

The Holy Spirit

Jesus sends us the Holy Spirit to help us live as Jesus' followers. It is hard to know what God wants us to do. We can pray to the Holy Spirit for help.

Let us follow the Holy Spirit.
Based on Galatians 5:25

Paul sailed to different cities in a boat like this one. He taught people that the Holy Spirit is our helper. When we love others the Holy Spirit helps us to be kind.

Si tienes fe y yo también

If You Believe and I Believe

Text: Zimbabwean traditional
Tune: Zimbabwean traditional; arr. by John L. Bell, b.1949, © 1991, Iona Community, GIA Publications, Inc., agent

13 Jesús nos promete el Espíritu Santo

El Espíritu Santo nos llena con el amor de Dios.

Basado en Romanos 5:5

Compartimos

Tu familia te ama mucho.
Tu familia te ayuda de muchas maneras.
Pero tu familia necesita ayudantes
que te cuiden y te ayuden a aprender.

Di cómo te ayuda cada persona.

Escribe acerca de una persona que te ayuda.

13 Jesus Promises the Holy Spirit

The Holy Spirit fills us with God's love.

Based on Romans 5:5

Your family loves you very much.
Your family helps you in many ways.
But your family needs helpers to
care for you and to help you learn.

Tell how each person helps you.

Write about a person who helps you.

____

____

____

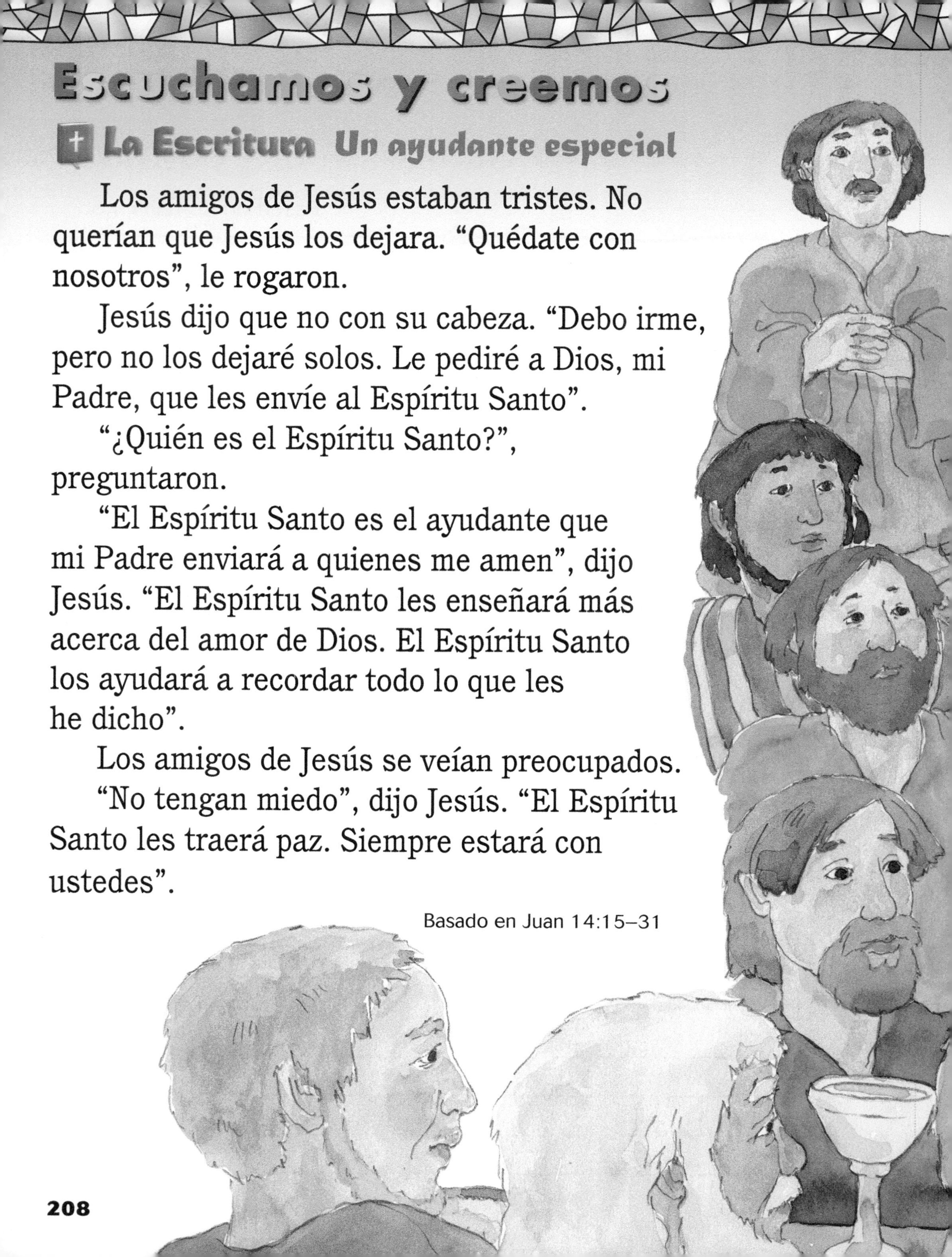

Escuchamos y creemos

La Escritura Un ayudante especial

Los amigos de Jesús estaban tristes. No querían que Jesús los dejara. "Quédate con nosotros", le rogaron.

Jesús dijo que no con su cabeza. "Debo irme, pero no los dejaré solos. Le pediré a Dios, mi Padre, que les envíe al Espíritu Santo".

"¿Quién es el Espíritu Santo?", preguntaron.

"El Espíritu Santo es el ayudante que mi Padre enviará a quienes me amen", dijo Jesús. "El Espíritu Santo les enseñará más acerca del amor de Dios. El Espíritu Santo los ayudará a recordar todo lo que les he dicho".

Los amigos de Jesús se veían preocupados.

"No tengan miedo", dijo Jesús. "El Espíritu Santo les traerá paz. Siempre estará con ustedes".

Basado en Juan 14:15–31

Hear & Believe

Scripture A Special Helper

The friends of Jesus were sad. They did not want Jesus to leave them. "Stay with us," they begged.

Jesus shook his head. "I must go away, but I will not leave you alone. I will ask God, my Father, to send you the Holy Spirit."

"Who is the Holy Spirit?" they asked.

"The Holy Spirit is the helper my Father will send to those who love me," Jesus said. "The Holy Spirit will teach you more about God's love. The Holy Spirit will help you remember all that I have told you."

Jesus' friends looked worried. "Don't be afraid," Jesus said. "The Holy Spirit will bring you peace. He will always be with you."

Based on John 14:15–31

La promesa de Jesús

Jesús prometió a sus amigos que no los dejaría solos. Prometió enviarles al **Espíritu Santo** para que los ayudara. El Espíritu Santo es nuestro ayudante también. El Espíritu Santo nos ayuda a seguir a Jesús. Nos ayuda a amar a los demás. El Espíritu Santo nos trae paz.

Creemos

El Espíritu Santo está siempre con nosotros. El Espíritu Santo nos ayuda y nos guía.

Nuestra Iglesia nos enseña

Dios Espíritu Santo es el don del amor de Dios para nosotros. El Espíritu Santo está siempre con nosotros.
Nos ayuda y nos guía.

Palabras de fe

Espíritu Santo
El Espíritu Santo es Dios. El Espíritu Santo nos ayuda a seguir a Jesús.

Jesus' Promise

Jesus promised his friends that he would not leave them alone. He promised to send the **Holy Spirit** to be their helper. The Holy Spirit is our helper, too. The Holy Spirit helps us follow Jesus. He helps us love others. The Holy Spirit brings us peace.

We Believe

The Holy Spirit is always with us. The Holy Spirit helps us and guides us.

Our Church Teaches

God the Holy Spirit is the gift of God's love to us. The Holy Spirit is always with us. He helps us and guides us.

Faith Words

Holy Spirit
The Holy Spirit is God. The Holy Spirit helps us follow Jesus.

Respondemos

El problema de Terry

Una mañana, Terry estaba esperando el autobús escolar. Sucedió algo aterrador. Dos niños más grandes empujaron a la calle a un niño de primer grado. Los niños mayores pensaron que era divertido. Empezaron a reír.

Cuando Terry llegó a la escuela, le dijo a la maestra lo que había pasado. Terry tenía miedo de que los otros niños pudieran burlarse de ella.

Esa noche, la madre de Terry dijo: "Hiciste lo correcto. Tu maestra sabrá cómo manejar el problema".

A la hora de dormir, la madre de Terry le enseñó esta oración: "Espíritu Santo, ayúdame a hacer siempre lo que es correcto".

¿Por qué la madre de Terry le enseñó esta oración?

Respond

Terry's Problem

One morning, Terry was waiting for the school bus. Something very scary happened. Two older boys pushed a first grade boy into the street. The older boys thought it was funny. They began to laugh.

When Terry got to school, she told her teacher what happened. Terry was afraid that the other children might tease her.

That night, Terry's mother said, "You did the right thing. Your teacher will know how to handle the problem."

At bedtime Terry's mother taught her this prayer. "Holy Spirit, help me always do what is right."

? Why did Terry's mother teach her this prayer?

Actividades

1. Colorea el borde alrededor de la oración. Luego reza la oración.

2. Dibuja un momento en el que podrías pedirle ayuda al Espíritu Santo.

Activities

1. Color the border around the prayer. Then pray the prayer.

2. Draw about a time when you could ask the Holy Spirit for help.

Celebración de la oración

Gloria al Padre

Alabamos a Dios como Padre, Hijo y Espíritu Santo cuando hacemos la Señal de la Cruz.

Ahora alabemos a Dios rezando el Gloria al Padre.

Gloria al Padre
y al Hijo
y al Espíritu Santo.
Como era en el principio,
ahora y siempre,
por los siglos de los siglos. Amén.

Prayer Celebration

Glory Be

We praise God as Father, Son, and Holy Spirit when we make the Sign of the Cross.

Let us now praise God by praying the Glory Be.

Glory be to the Father
and to the Son
and to the Holy Spirit,
as it was in the beginning
is now, and ever shall be
world without end. Amen.

La fe en acción

Catequistas Algunos hombres y mujeres se convierten en catequistas. Comparten su fe con los demás. Los catequistas les enseñan a los niños acerca de Dios. Los niños aprenden los relatos de la Biblia. Aprenden cómo seguir a Jesús. El Espíritu Santo guía a los catequistas en su trabajo.

En tu parroquia

Actividad Puedes pedirle al Espíritu Santo que ayude a tu catequista. Aprende esta oración. Colorea el borde. Luego reza por tu catequista.

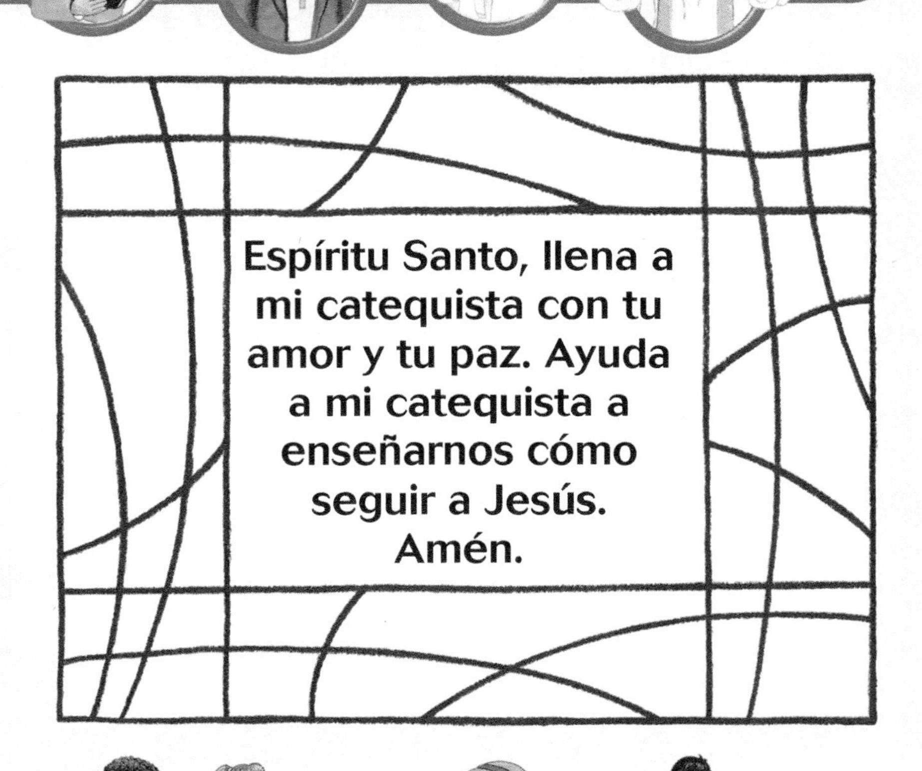

Actividad El Espíritu Santo nos ayuda a compartir nuestra fe con los demás. ¿Qué podrías contarle a alguien de tu familia acerca de Jesús? ¿Qué podrías contarle a un amigo acerca de la Misa?

Catechists Some men and women become catechists. They share their faith with others. Catechists teach children about God. The children learn Bible stories. They learn how to follow Jesus. The Holy Spirit guides catechists in their work.

Activity You can ask the Holy Spirit to help your catechist. Learn this prayer. Color the border. Then pray for your catechist.

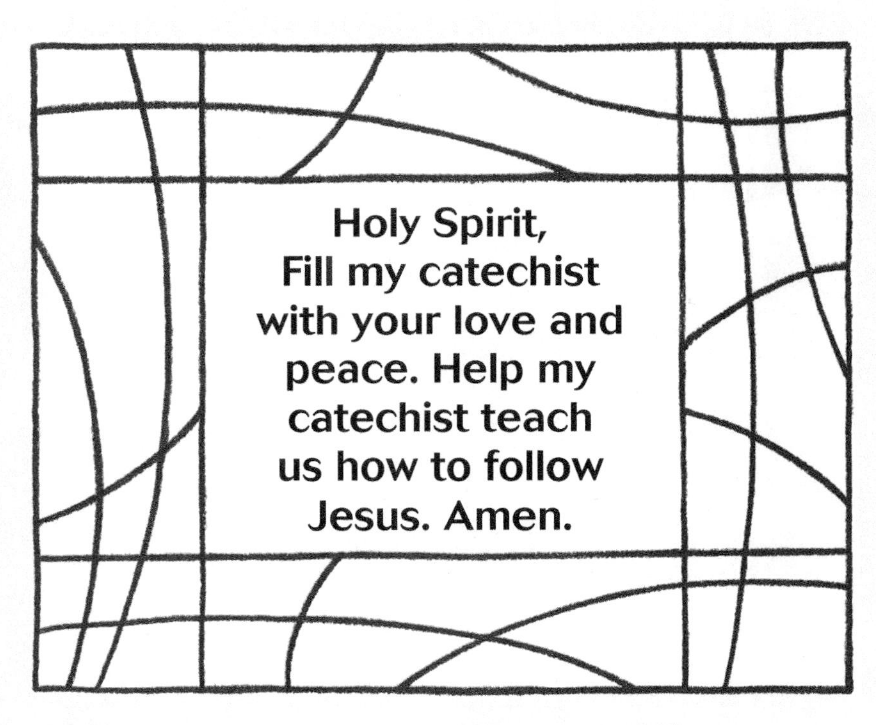

Activity The Holy Spirit helps us share our faith with others. What could you tell someone in your family about Jesus? What could you tell a friend about the Mass?

14 Celebramos el don del Espíritu Santo

Oh, Dios, envía tu Espíritu Santo para que nos ayude y nos guíe.

Basado en el Ritual para la Confirmación

Compartimos

	agua
	aceite

El agua y el aceite se usan de muchas maneras. Encierra en un círculo el símbolo del agua o del aceite que está debajo de cada fotografía.

14 We Celebrate the Gift of the Holy Spirit

O God, send your Holy Spirit to help and guide us.

Based on the Rite of Confirmation

Share

Water and oil are used in many ways. Circle the sign for water or oil under each picture.

Escuchamos y creemos

El culto El don del Espíritu Santo

Recibimos el don del Espíritu Santo en los sacramentos. Dos de los sacramentos son el Bautismo y la Confirmación.

En el Bautismo, el sacerdote o el diácono bendice el agua antes de derramarla sobre la persona. Reza: “Padre, por el poder del Espíritu Santo, te pedimos que bendigas esta agua. Para que lave todo pecado y nos dé nueva vida en Cristo”.

Basado en el Ritual para el Bautismo de los niños

En la Confirmación, el obispo usa óleo consagrado para hacer la Señal de la Cruz en la frente de la persona.

Dice: “Recibe por esta señal el Don del Espíritu Santo”. Lo que significa: “Que estés lleno del Espíritu de Dios”.

Basado en el Ritual para la Confirmación

Hear & Believe

Worship The Gift of the Holy Spirit

We receive the gift of the Holy Spirit in the sacraments. Two of the sacraments are Baptism and Confirmation.

In Baptism the priest or deacon blesses water before he pours it on the person.

He prays, "Father, by the power of the Holy Spirit, we ask you now to bless this water. May it wash away all sin and give us new life in Christ."

Based on the Rite of Baptism for Children

In Confirmation the bishop uses holy oil to make the sign of the cross on the forehead of the person.

He says, "Be sealed with the Gift of the Holy Spirit." This means, "Be filled with God's Spirit."

Based on the Rite of Confirmation

El Espíritu Santo llega a nosotros

El Espíritu Santo llega a nosotros en los **sacramentos.** La Iglesia celebra los sacramentos como signos del amor de Dios. En cada sacramento, el Espíritu Santo nos da el don de la gracia. Este don nos ayuda a seguir a Jesús.

Nuestra Iglesia nos enseña

En el Bautismo, nos lavan de todo pecado. El Espíritu Santo nos llena con el amor de Dios. Nos ayuda a vivir como buenos católicos.

En la **Confirmación**, el Espíritu Santo fortalece nuestra fe. El óleo consagrado es una señal de que el Espíritu Santo está con nosotros.

Creemos

Recibimos al Espíritu Santo en los sacramentos. El Espíritu Santo nos ayuda a vivir como seguidores de Jesús.

Palabras de fe

sacramentos
Los sacramentos son signos especiales del amor de Dios.

Confirmación
La Confirmación es el sacramento en el que el Espíritu Santo fortalece nuestra fe en Jesucristo.

The Holy Spirit Comes to Us

The Holy Spirit comes to us in the **sacraments**. The Church celebrates sacraments as signs of God's love. In each sacrament, the Holy Spirit gives us grace. This gift of grace helps us follow Jesus.

Our Church Teaches

In Baptism, we are washed clean of all sin. The Holy Spirit fills us with God's love. The Holy Spirit helps us live as good Catholics.

In **Confirmation** the Holy Spirit makes our faith stronger. The holy oil is a sign that the Holy Spirit is working in us.

We Believe

We receive the Holy Spirit in the sacraments. The Holy Spirit helps us live as followers of Jesus.

Faith Words

sacraments
Sacraments are special signs of God's love.

Confirmation
Confirmation is the sacrament in which the Holy Spirit makes our faith in Jesus Christ stronger.

Respondemos

La historia de Nicodemo

Una noche, Nicodemo fue a ver en secreto a Jesús. "¿Qué debo hacer para convertirme en miembro de la familia de Dios?", le preguntó a Jesús.

Jesús le dijo: "Debes nacer del agua y del Espíritu".

"¿Cómo puede ser eso?", preguntó Nicodemo.

Jesús explicó: "Si crees en mí, el Espíritu Santo te traerá la propia vida de Dios. Esta vida durará por siempre".

"¿Cómo es esta vida?", preguntó Nicodemo.

Jesús explicó: "En lugar de vivir en la oscuridad, vivirás en la luz. En lugar de hacer cosas malas, harás lo que es bueno".

Basado en Juan 3:1–21

? ¿Qué crees que hizo Nicodemo después?

Respond

The Story of Nicodemus

One night, Nicodemus went secretly to Jesus. "What must I do to become a member of God's family?" he asked Jesus.

Jesus said, "You must be born of water and the Spirit."

"How can this happen?" Nicodemus asked.

Jesus explained, "If you believe in me, the Holy Spirit will bring you God's own life. This life will last forever."

"What is this life like?" Nicodemus asked.

Jesus explained, "Instead of living in darkness, you will live in the light. Instead of doing bad things, you will do what is good."

Based on John 3:1–21

? What do you think Nicodemus did next?

Actividad

El Espíritu Santo nos guía para hacer buenas elecciones. Mira cada ilustración. Lee las frases. Traza una línea debajo de la mejor opción.

Lisa mira televisión.

Lisa saca la basura.

Tim juega todo el tiempo con el camión.

Tim deja que Bruce juegue con el camión.

Rosa trata de cantar y de rezar.

Rosa juega con sus juguetes.

Activity

The Holy Spirit guides us to make good choices. Look at each picture. Read the sentences. Draw a line under the better choice.

Lisa watches TV.
Lisa takes out the garbage.

Tim keeps playing with the truck.
Tim lets Bruce play with the truck.

Rosa tries to sing and pray.
Rosa plays with her toys.

Celebración de la oración

Oración al Espíritu Santo

Se dicen oraciones especiales cuando se usa óleo consagrado en los sacramentos. Podemos también rezar con el óleo. El óleo nos recuerda que el Espíritu Santo está con nosotros.

Líder: Pidamos al Espíritu Santo que nos ayude a seguir a Jesús.

Todos: **Espíritu Santo, ayúdanos y guíanos.**

Líder: (Frota óleo en las manos de todos los niños.) El Espíritu Santo vive en ti. ¿Cuál es tu oración?

Niña: **Espíritu Santo, ayúdame y guíame.**

Prayer Celebration

A Prayer to the Holy Spirit

Special prayers are said when holy oil is used in the sacraments. We can pray with oil, too. The oil reminds us that the Holy Spirit is with us.

Leader: Let us call upon the Holy Spirit to help us follow Jesus.

All: **Holy Spirit, help us and guide us.**

Leader: (rubs oil on each child's hands) The Holy Spirit lives in you. What is your prayer?

Child: **Holy Spirit, help me and guide me.**

La fe en acción

Los monaguillos en la Misa Los monaguillos del altar ayudan a los sacerdotes y a los diáconos a celebrar la Misa. Por lo general, los niños y las niñas pueden convertirse en monaguillos en cuarto grado. Un monaguillo lleva el crucifijo que encabeza la procesión. Los monaguillos encienden las velas. También ayudan a preparar el altar para la Misa.

En tu parroquia

Actividad En cada rincón del laberinto hay algo para llevar al altar. Traza una línea a lo largo del camino correcto desde cada objeto hasta el altar.

En la vida diaria

Actividad Nombra dos formas en las que puedes ayudar o servir a tu familia en casa. Nombra dos formas en las que puedes ayudar o servir en la escuela.

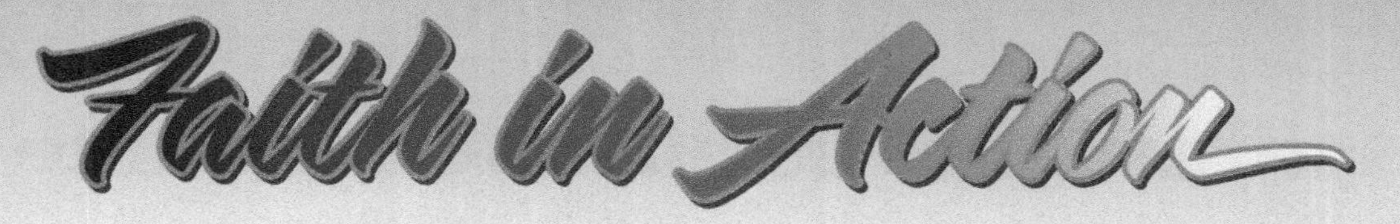

Servers at Mass Altar servers help priests and deacons celebrate Mass. Boys and girls can usually become altar servers in the fourth grade. An altar server carries the crucifix to lead the procession. Servers light the candles. They also help set the altar for Mass.

In Your Parish

Activity In each corner of the maze there is something to bring to the altar. Draw a line along the right path from each object to the altar.

In Everyday Life

Activity Name two ways that you can help, or serve, your family at home. Name two ways you can help, or serve, at school.

15 El Espíritu Santo es nuestro ayudante

Sigamos al Espíritu Santo.

Basado en Gálatas 5:25

Compartimos

Algunas cosas que hacemos son hábitos. Nuestros hábitos pueden ser buenos o malos. Cepillarnos los dientes todos los días es un hábito bueno. Comernos las uñas es un hábito malo.

Escribe una **B** en la casilla que está delante de los hábitos buenos de Nick y de Jenny. Escribe una **M** en la casilla que está delante de los hábitos malos de Nick y de Jenny.

☐ Jenny guarda sus juguetes antes de irse a dormir.

☐ Nick dice "gracias" cuando le hacen un regalo.

☐ Jenny da un portazo todas las mañanas.

☐ Nick siempre deja su abrigo en el piso.

☐ Jenny le reza a Dios todos los días.

15 The Holy Spirit Is Our Helper

Let us follow the Holy Spirit.

Based on Galatians 5:25

Share

Some things we do are habits. Our habits can be good or bad. To brush our teeth every day is a good habit. To bite our nails is a bad habit.

Write a **G** in the box before Nick and Jenny's good habits. Write a **B** in the box before Nick and Jenny's bad habits.

☐ Jenny puts her toys away before bedtime.

☐ Nick says "thank you" when he gets a gift.

☐ Jenny slams the door every morning.

☐ Nick always leaves his jacket on the floor.

☐ Jenny prays to God each day.

Escuchamos y creemos

La Escritura Una carta de Pablo

Pablo se convirtió en seguidor de Jesucristo. Escribió esta carta a un grupo de los primeros **cristianos**.

Mis queridos hermanos:
Jesucristo los ama. Quiere que amen a los demás de la misma manera que se aman a sí mismos. A veces resulta difícil ser amable y servicial. Pero Cristo les dio el Espíritu Santo para que los ayude y los guíe. Si siguen al Espíritu, los Frutos del Espíritu Santo serán suyos. Actuarán con amor, alegría y paz. Serán pacientes, mansos y caritativos. Tendrán dominio de sí mismos.

Basado en Gálatas 5:14–25

Caridad

AMOR

ALEGRÍA

Hear & Believe

Scripture A Letter from Paul

Paul became a follower of Jesus Christ. He wrote this letter to a group of the first Christians.

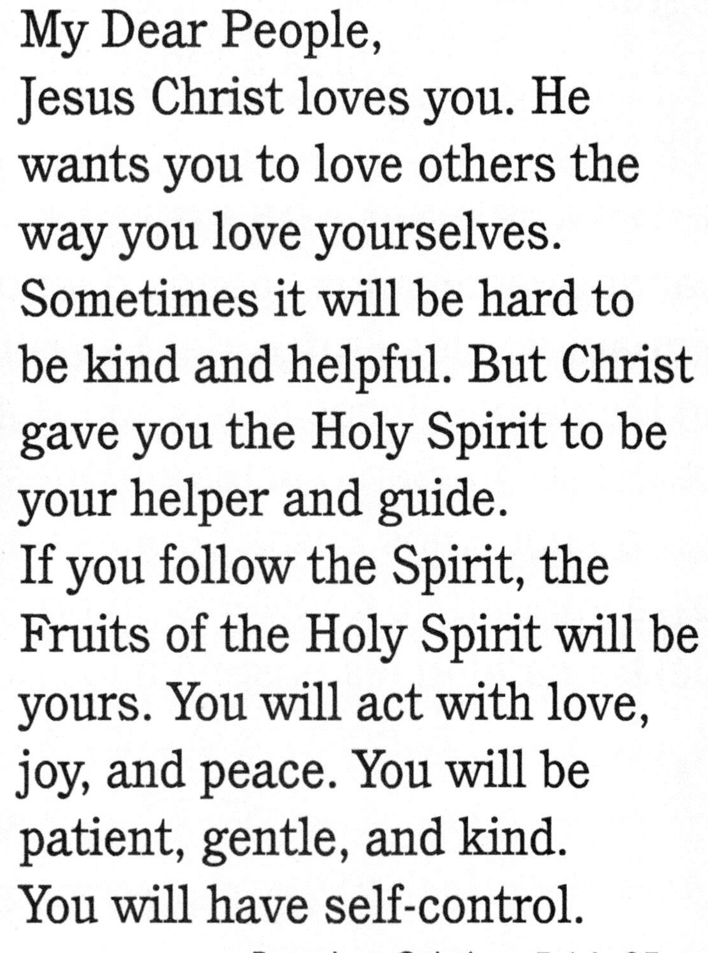

My Dear People,
Jesus Christ loves you. He wants you to love others the way you love yourselves. Sometimes it will be hard to be kind and helpful. But Christ gave you the Holy Spirit to be your helper and guide.
If you follow the Spirit, the Fruits of the Holy Spirit will be yours. You will act with love, joy, and peace. You will be patient, gentle, and kind. You will have self-control.

Based on Galatians 5:14–25

El Espíritu Santo nos ayuda

La carta de Pablo trata del amor a los demás. Jesús sabía que no siempre sería fácil amar. Por eso Jesús nos envió al Espíritu Santo. Cuando amamos a los demás, el Espíritu Santo nos ayuda a ser alegres, tranquilos, pacientes, mansos y caritativos. Nos ayuda a tener dominio de nosotros mismos.

Creemos

El Espíritu Santo nos ayuda a seguir a Jesús. Nos ayuda a aprender hábitos buenos, como mostrar amor por los demás.

Nuestra Iglesia nos enseña

Cuando practicamos hábitos buenos, compartimos los **Frutos del Espíritu Santo** con los demás. Estos frutos son signos de que el Espíritu Santo actúa en nuestra vida. Cuando hacemos cosas buenas una y otra vez, la caridad se convierte en un hábito. Nuestra caridad les enseña a los demás acerca de la caridad de Dios.

Palabras de fe

cristianos
Los cristianos son personas que aman y siguen a Jesucristo.

Frutos del Espíritu Santo
Los Frutos del Espíritu Santo son signos de que el Espíritu Santo actúa en nuestra vida.

The Holy Spirit Helps Us

Paul's letter is about loving others. Jesus knew that it would not always be easy to love. That is why Jesus gave us the Holy Spirit. When we love others, the Holy Spirit helps us to be joyful, peaceful, patient, gentle, and kind. He helps us to use self-control.

Our Church Teaches

When we practice good habits, we share the **Fruits of the Holy Spirit** with others. These fruits are signs that the Holy Spirit is acting in our lives. When we do kind acts again and again, kindness becomes a habit. Our kindness teaches others about the kindness of God.

We Believe

The Holy Spirit helps us follow Jesus. The Holy Spirit helps us learn good habits of showing love for others.

Faith Words

Christians
Christians are people who love Jesus Christ and follow him.

Fruits of the Holy Spirit
The Fruits of the Holy Spirit are signs that he is acting in our lives.

Respondemos

El hábito de Tony de los sábados

Es divertido jugar con Tony. Comparte sus juguetes. Ayuda a los más pequeños a aprender juegos nuevos. Detiene las peleas diciendo cosas graciosas. Todos se sienten bien cuando Tony está cerca.

Pero los sábados, Tony tiene un hábito. Mira televisión durante tres horas. Todos sus amigos quieren que salga a jugar. Pero Tony dice: "No puedo. Necesito ver mis programas".

? ¿Qué piensas del hábito de Tony?

Respond

Tony's Saturday Habit

Tony is fun to play with. He shares his toys. He helps younger children learn new games. He stops fights by saying funny things. Everyone feels good when Tony is around.

But, Tony has a Saturday habit. He watches TV for three hours. All his friends want him to come out and play. But Tony says, "I can't. I need to watch my shows."

What do you think about Tony's habit?

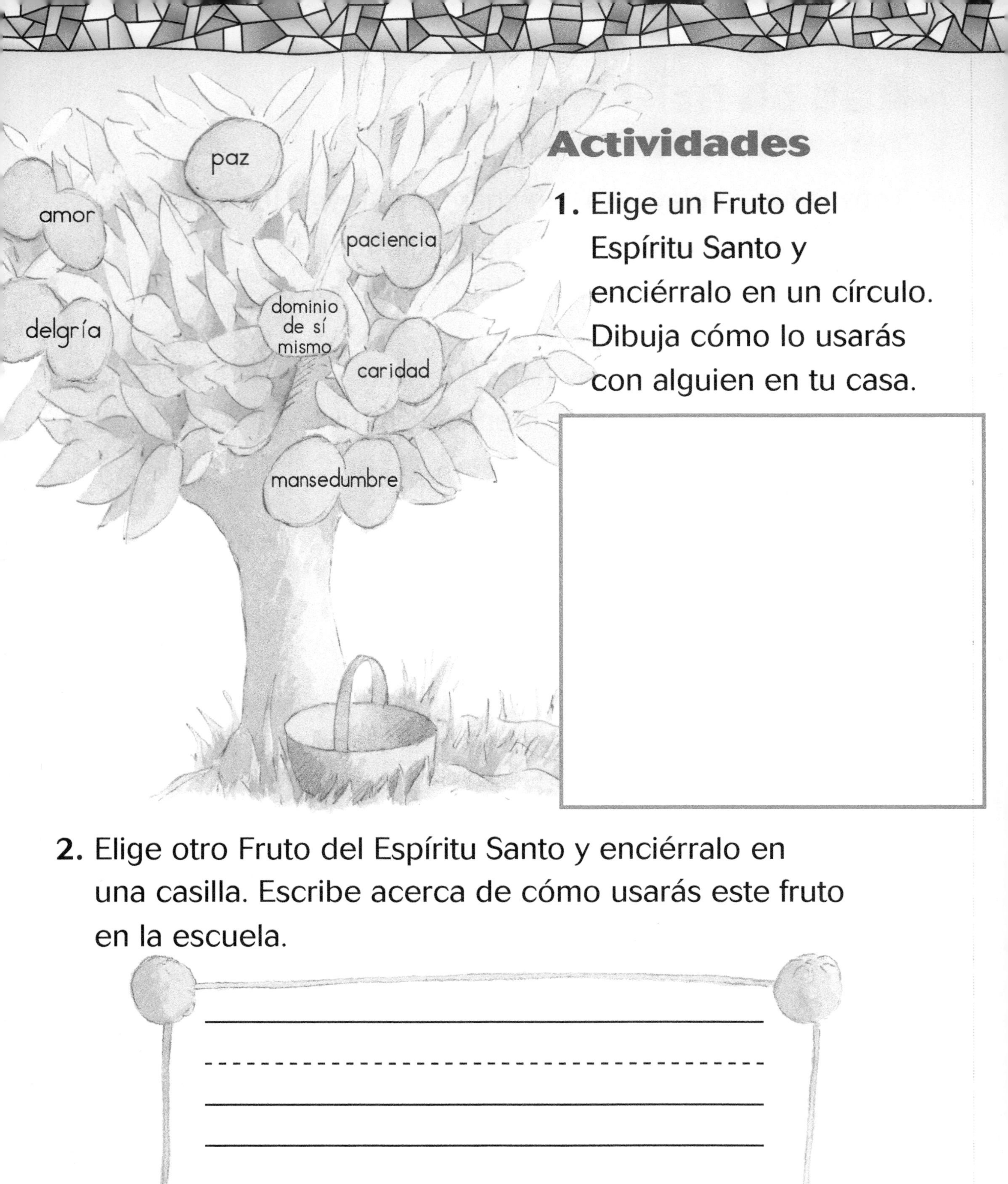

Actividades

1. Elige un Fruto del Espíritu Santo y enciérralo en un círculo. Dibuja cómo lo usarás con alguien en tu casa.

2. Elige otro Fruto del Espíritu Santo y enciérralo en una casilla. Escribe acerca de cómo usarás este fruto en la escuela.

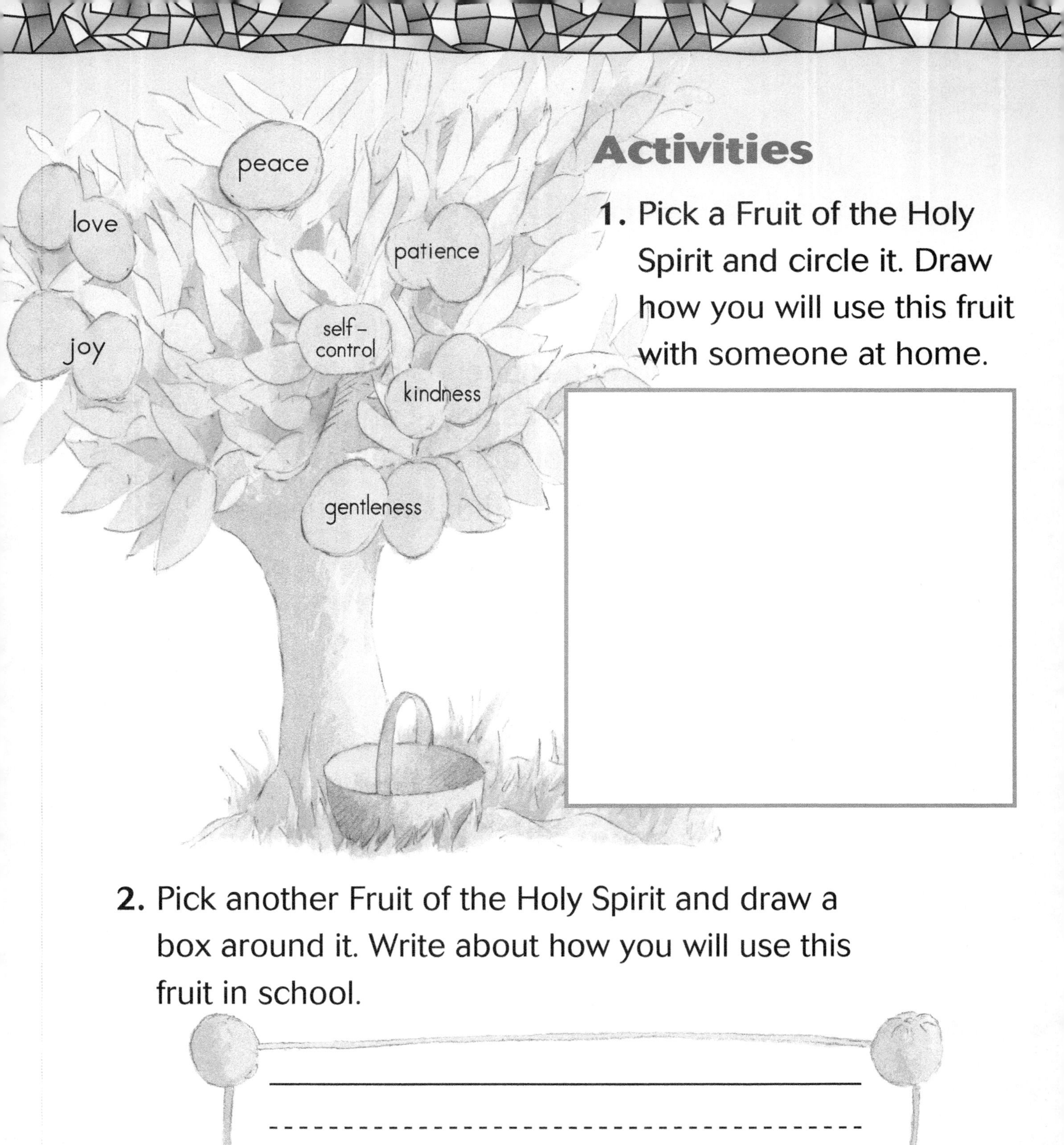

Activities

1. Pick a Fruit of the Holy Spirit and circle it. Draw how you will use this fruit with someone at home.

2. Pick another Fruit of the Holy Spirit and draw a box around it. Write about how you will use this fruit in school.

Celebración de la oración

Oración de ayuda

Rezamos al Espíritu Santo para que nos ayude a aprender buenos hábitos. Rezamos para que el Espíritu Santo nos ayude a mostrar amor por los demás.

Líder: Recemos al Espíritu Santo, nuestra ayuda y nuestra guía.

Lado 1: Cuando un niño nuevo se muda a nuestro vecindario,

Lado 2: Ayúdanos a mostrar caridad.

Lado 1: Cuando nuestros amigos están tristes,

Lado 2: Ayúdanos a darles alegría.

Lado 1: Cuando los niños se pelean,

Lado 2: Ayúdanos a tranquilizarlos.

Lado 1: Cuando alguien está herido,

Lado 2: Ayúdanos a ser mansos.

Todos: Espíritu Santo, llénanos con tu amor. Ayúdanos a seguir a Jesús.

A Prayer for Help

We pray to the Holy Spirit to help us learn good habits. We pray that the Holy Spirit will help us show love for others.

Leader: Let us pray to the Holy Spirit, our helper and guide.

Side 1: **When a new child moves into our neighborhood,**

Side 2: **Help us show kindness.**

Side 1: **When our friends are sad,**

Side 2: **Help us bring them joy.**

Side 1: **When children are fighting,**

Side 2: **Help us be peacemakers.**

Side 1: **When someone is hurting,**

Side 2: **Help us be gentle.**

All: Holy Spirit, fill us with your love. Help us follow Jesus.

La fe en acción

Grupo juvenil Muchas parroquias tienen un grupo para jóvenes. Los jóvenes hacen nuevos amigos, sirven a la comunidad y aprenden más acerca de Dios. Algunos jóvenes visitan a los enfermos. Algunos juntan ropa para los pobres. Otros juntan las hojas o palean la nieve para ayudar a las personas mayores de la parroquia.

Actividad ¿Tiene tu parroquia un grupo juvenil? ¿Cómo ayudan los jóvenes a las personas?

Actividad
El Espíritu Santo nos ayuda a actuar bien. Lee las leyendas. Encierra en un círculo la que te gustaría representar. Luego dibújate actuando de esta manera.

Faith in Action

Youth Group Many parishes have a group for teens. The teens make new friends, serve their community, and learn more about God. Some teens visit the sick. Some collect clothes for the poor. Others rake leaves or shovel snow for older members of the parish.

Activity Does your parish have a youth group? How do the teens help people?

Activity
The Holy Spirit helps us act in good ways. Read the signs. Circle one way that you would like to act. Then draw yourself acting in this way.

16 El Espíritu Santo nos enseña a rezar

Ven, Espíritu Santo,
llena nuestros corazones con tu amor.

Basado en la Secuencia de Pentecostés

Compartimos

Todos necesitamos maestros.
Los maestros nos ayudan a
aprender palabras nuevas.
Los maestros nos muestran
cómo hacer cosas nuevas.

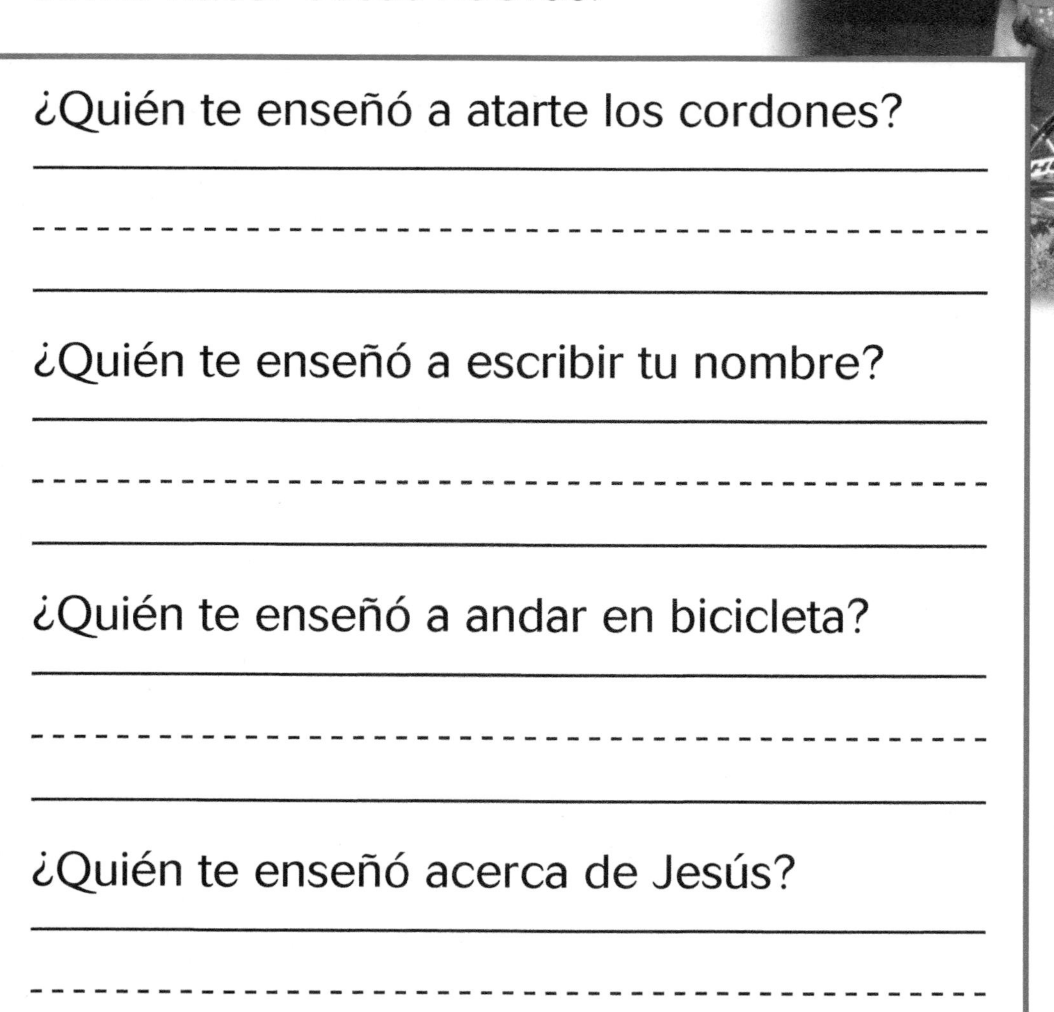

¿Quién te enseñó a atarte los cordones?

¿Quién te enseñó a escribir tu nombre?

¿Quién te enseñó a andar en bicicleta?

¿Quién te enseñó acerca de Jesús?

16 The Holy Spirit Helps Us Pray

Come, Holy Spirit,
fill our hearts with your love.

Based on the Pentecost Sequence

Share

We all need teachers.
Teachers help us learn
new words.
Teachers show us how to
do new things.

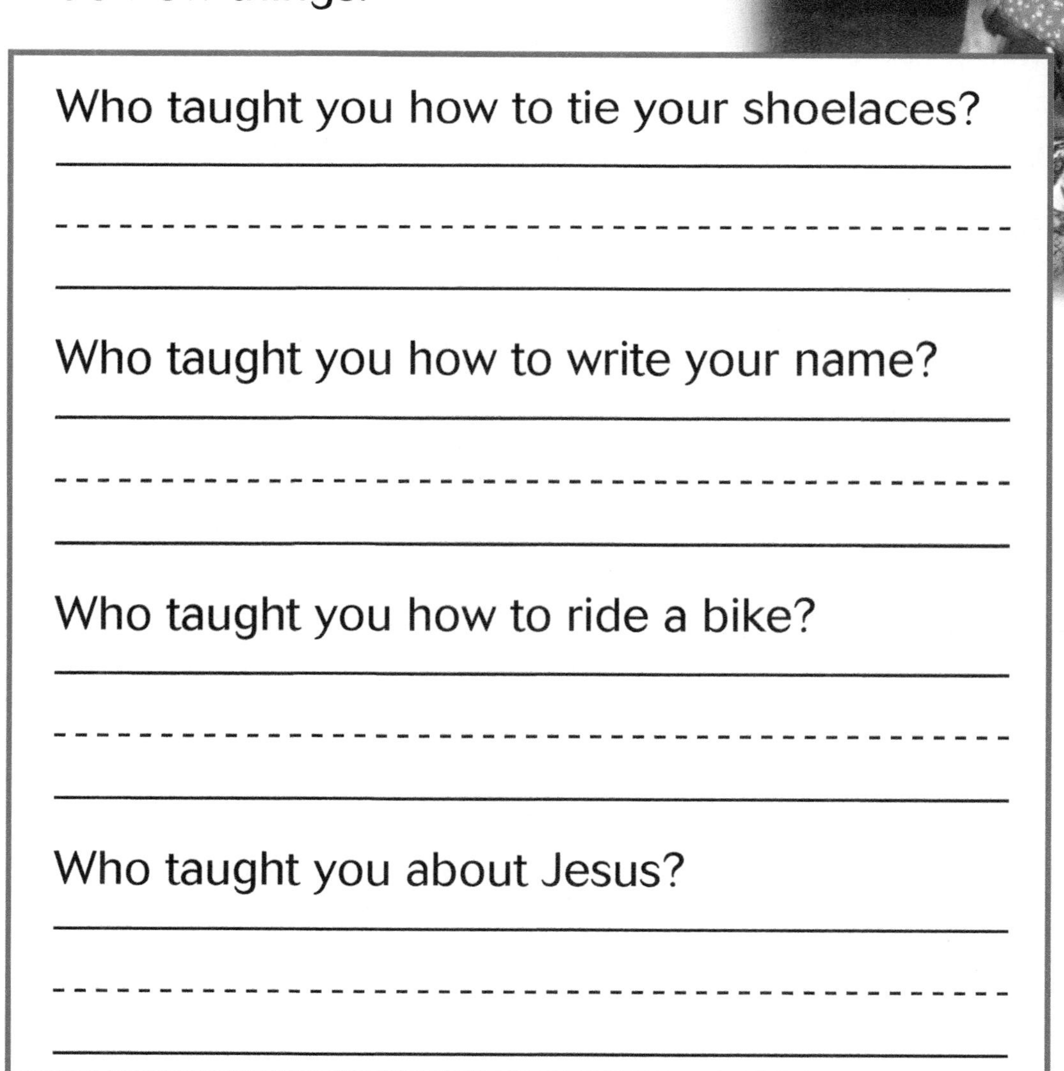

Who taught you how to tie your shoelaces?

____

Who taught you how to write your name?

____

Who taught you how to ride a bike?

____

Who taught you about Jesus?

____

Escuchamos y creemos

La Escritura Un maestro especial

Jesús les contó a sus amigos muchos relatos acerca de la oración. Una vez Jesús dijo que siempre deberíamos rezar.

"¿Cómo podemos hacerlo?", preguntaban las personas. "Nos cansaremos. Se nos terminarán las cosas para decir".

Otra vez Jesús explicó que el Espíritu Santo nos enseña a rezar. Este Espíritu nos ayuda a que todo lo que decimos y hacemos se convierta en una oración. El Espíritu nos ayuda aun cuando nos sentimos desanimados.

"Nunca se desanimen", dijo Jesús. "Cuando recen, pídanle siempre a Dios lo que necesiten. Golpeen siempre a la puerta del Señor hasta que responda. Todo aquel que pide, recibe. Todo aquel que busca, encuentra. Y a todos los que golpean a la puerta, se les abrirá".

Basado en Lucas 18:1, Romanos 8:26
Efesios 6:18 y Mateo 7:7–8

Hear & Believe

Scripture A Special Teacher

Jesus told his friends many stories about prayer. One time Jesus said that we should pray always.

"How can we do that?" people asked. "We will grow tired. We will run out of things to say."

Another time Jesus explained that the Holy Spirit teaches us to pray. This Spirit helps us turn everything we say and do into a prayer. The Spirit helps us even when we feel like giving up.

"Never give up," Jesus said. "When you pray, keep asking God for what you need. Keep knocking at God's door until he answers. For everyone who asks, receives. Everyone who seeks, finds. And to everyone who knocks, the door is opened."

Based on Luke 18:1, Romans 8:26, Ephesians 6:18, and Matthew 7:7–8

Formas en que el Espíritu Santo nos ayuda

El Espíritu Santo nos enseña a rezar. Nos ayuda a rezar por lo que necesitamos. A estas oraciones las llamamos **peticiones**. Incluso nuestros actos caritativos pueden convertirse en oraciones. Ayudar a una persona muestra nuestro amor por Dios. Nuestros actos caritativos se convierten en una oración.

Creemos

El Espíritu Santo nos ayuda a rezar de muchas maneras. Aun las cosas buenas que hacemos pueden convertirse en oraciones.

Palabras de fe

peticiones
Las peticiones son oraciones de súplica. Le pedimos a Dios lo que necesitamos.

Nuestra Iglesia nos enseña

En la Misa, le rezamos al Espíritu Santo muchas veces. Él nos ayuda a escuchar los relatos de la Biblia. El Espíritu Santo convierte el pan y el vino en el Cuerpo y la Sangre de Cristo. Nos ayuda a volvernos santos. Después de la Misa, el Espíritu Santo nos ayuda a amar al prójimo.

Ways the Holy Spirit Helps Us

The Holy Spirit teaches us to pray. He helps us pray for what we need. We call these prayers **petitions**. Even our kind acts can become prayers. Helping a person shows our love for God. Our kind act becomes a prayer.

We Believe

The Holy Spirit helps us pray in many ways. Even the good things we do can become prayers.

Our Church Teaches

At Mass, we pray to the Holy Spirit many times. He helps us listen to the Bible stories. The Holy Spirit changes the bread and wine into the Body and Blood of Christ. He helps us become holy. After Mass the Holy Spirit helps us love others.

Faith Words

petitions
Petitions are asking prayers. We ask God to give us the things we need.

Respondemos

El desfile santo

Lucía y su abuelo están en los escalones de la iglesia. Ella oye música alegre de una banda. Luego ve el desfile que viene por la calle.

Los hombres y los niños llevan camisas y chalecos de colores. Las mujeres y las niñas llevan vestidos largos. Cada grupo lleva un cartel brillante.

Lucía pregunta: "¿Por qué desfilan?".

"Es un desfile santo o procesión", le responde su abuelo. "Todos los años, honramos al Espíritu Santo de manera especial. En la Misa de hoy, agradeceremos a Dios por el don del Espíritu Santo".

¿Por qué las personas van en procesión?

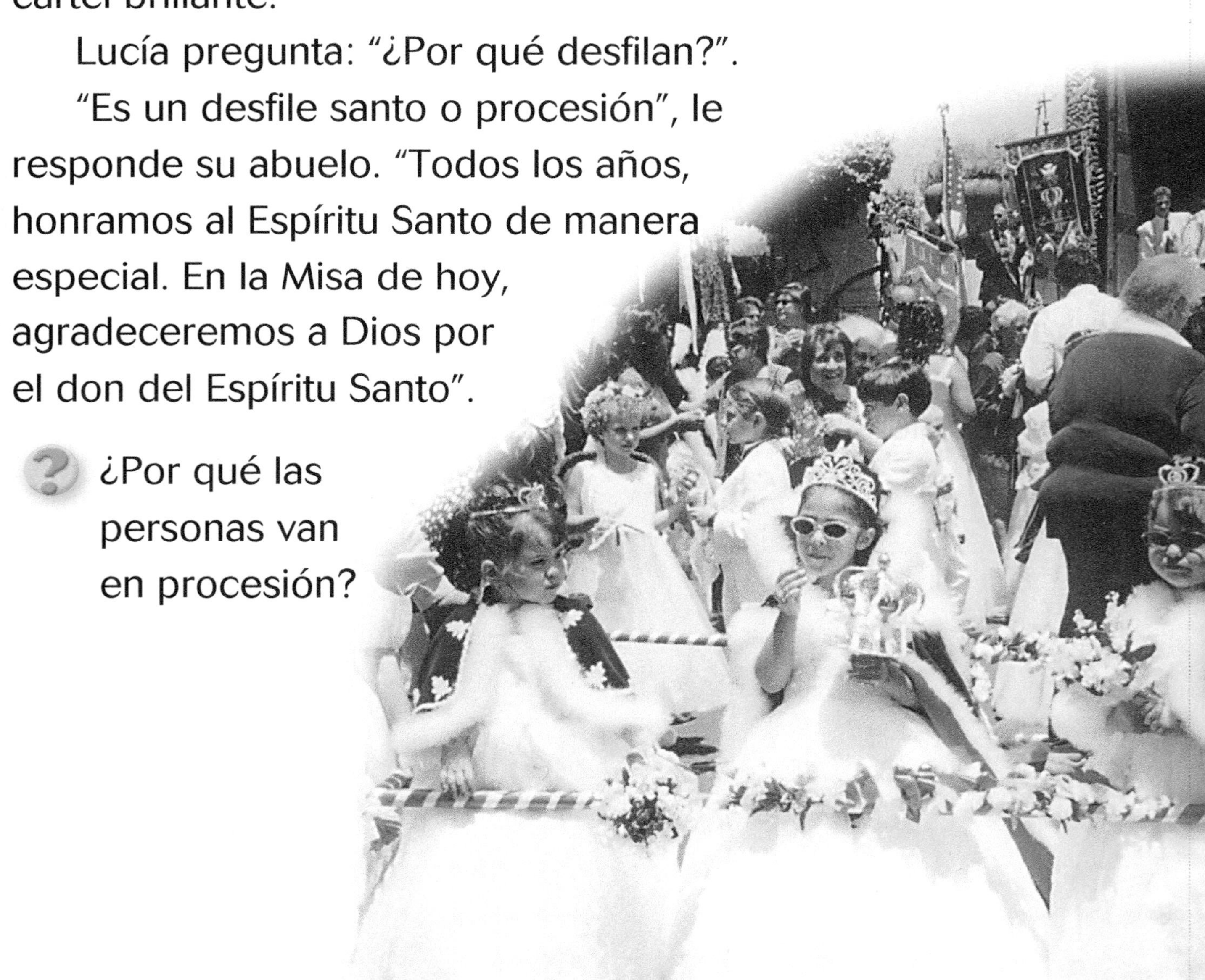

Respond

The Holy Parade

Lucia and her grandfather are on the church steps. She hears joyful music from a band. Then she sees the marchers coming down the street.

The men and boys wear colorful shirts and vests. The women and girls wear long dresses. Each group carries a bright banner.

Lucia asks, “Why are they marching?”

“It is a holy parade, or procession,” her grandfather replies. “Every year, we honor the Holy Spirit in a special way. At Mass today, we will thank God for the gift of the Holy Spirit.”

? Why are the people having a procession?

Actividad

Escribe una petición al Espíritu Santo.
Pídele al Espíritu Santo que te ayude.
Luego escribe tu nombre.

Ven, Espíritu Santo,

____

lléname de _______________________________.

____

Ayúdame a _______________________________

____

_______________________________.

Mi nombre es

_______________________________.

Activity

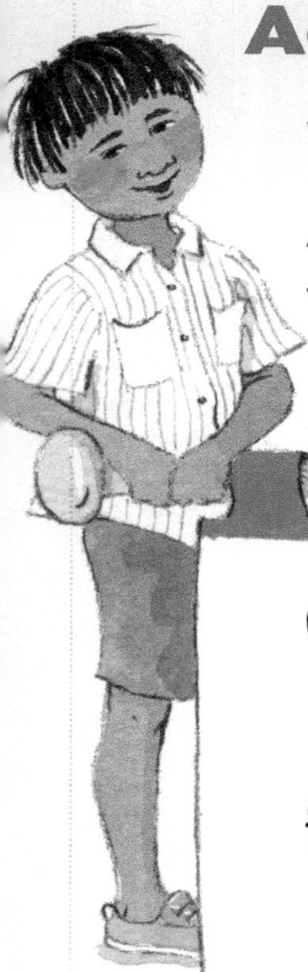

Write a petition to the Holy Spirit.
Ask the Holy Spirit to help you.
Then sign your name.

Come, Holy Spirit,

____

fill me with ______________________________.

____

Help me to ______________________________

____

______________________________.

My name is

____

______________________________.

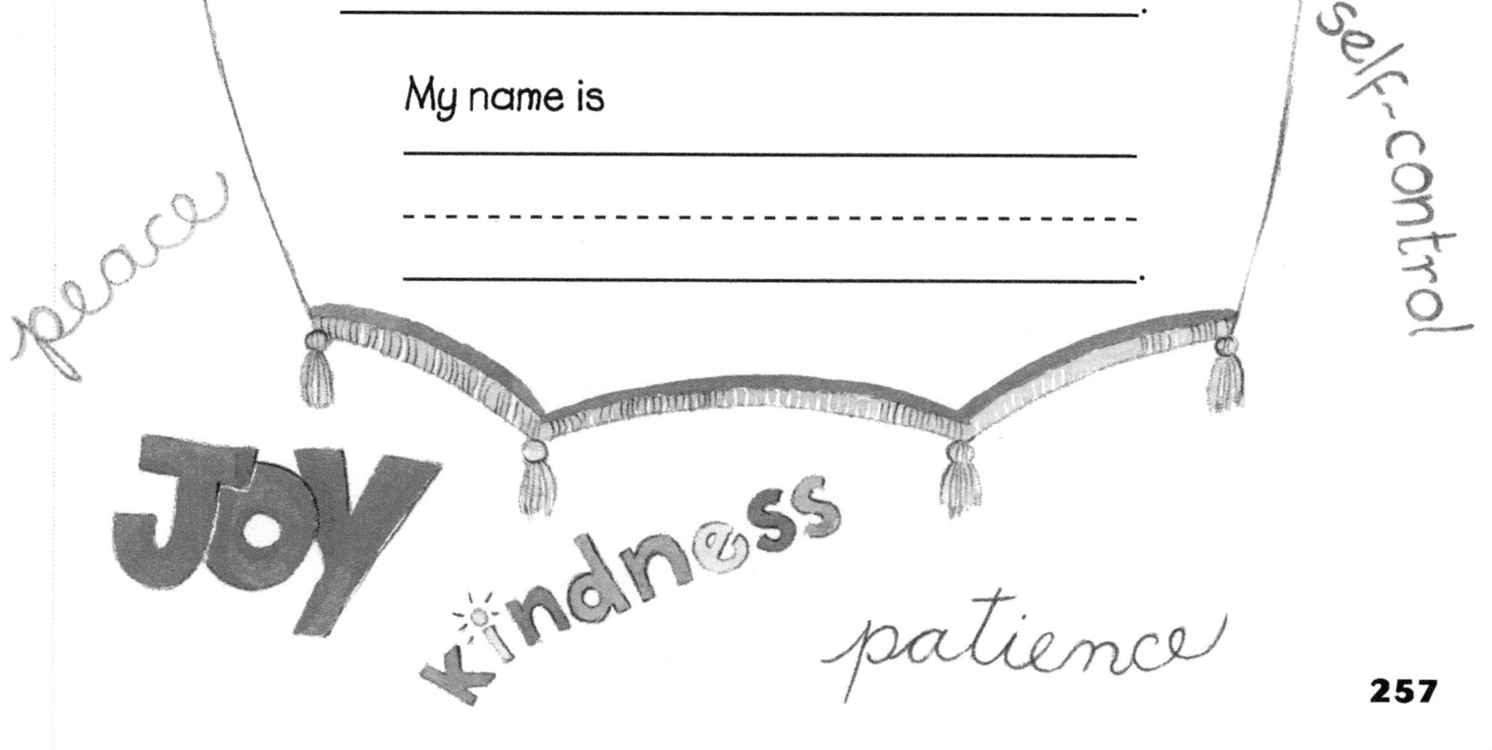

Love
gentleness
self-control
peace
Joy
kindness
patience

Celebración de la oración

Procesión del Espíritu Santo

Podemos rezarle al Espíritu Santo con una procesión. Podemos tocar música y marchar. Luego podemos rezar nuestras peticiones.

Líder: Ven, Espíritu Santo. Sabemos que estás siempre con nosotros. Por favor, escucha nuestras oraciones.

(Los niños leen sus propias peticiones.)

Prayer Celebration

A Holy Spirit Procession

We can pray to the Holy Spirit with a procession. We can play music and march. Then we can pray our petitions.

Leader: Come, Holy Spirit. We know you are always with us. Please listen to our prayers.

(Children read their own petitions.)

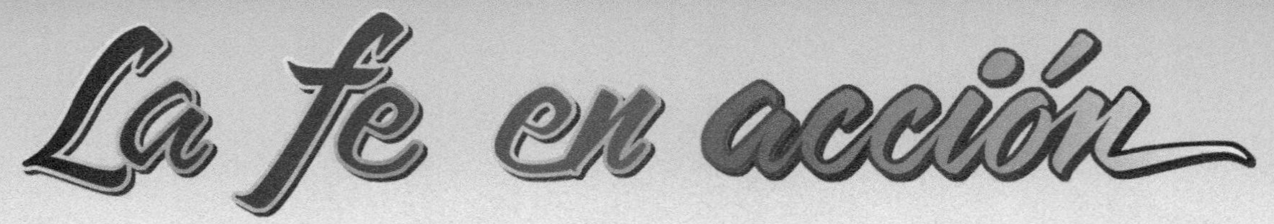

Caja de oración Muchas parroquias tienen una "Caja de oración". Las personas escriben peticiones en pequeñas tarjetas y las ponen en la caja. Cuando se reúne un grupo de oración, los miembros leen algunas de las peticiones. Entonces el grupo reza por las necesidades de las personas.

Actividad ¿Cómo rezan en tu parroquia por las necesidades de las personas? ¿Hay una caja de oración? Averígualo. Entonces también puedes rezar por las necesidades de las personas.

Actividad Mira la Cadena de oración. En cada eslabón, escribe el nombre de una persona que necesite oraciones. Luego reza por esas personas.

Cadena de oración

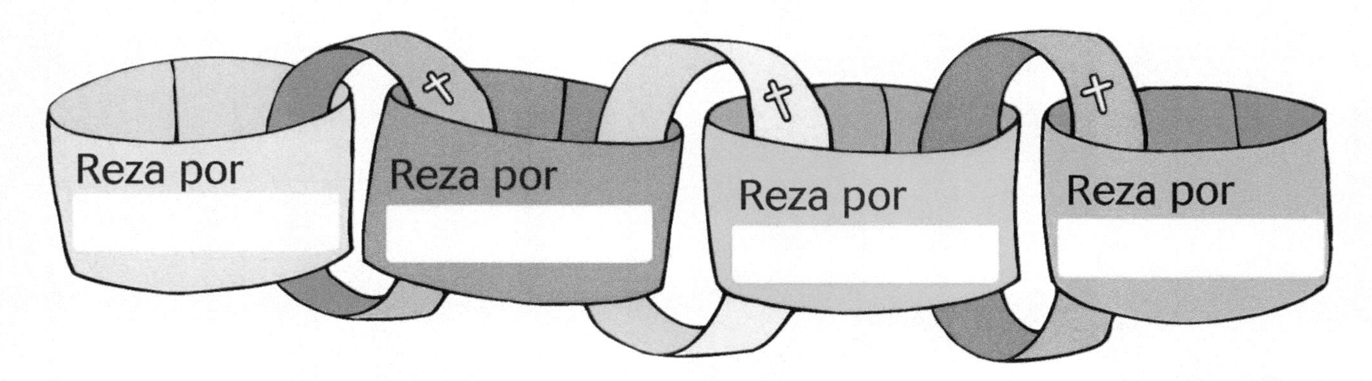

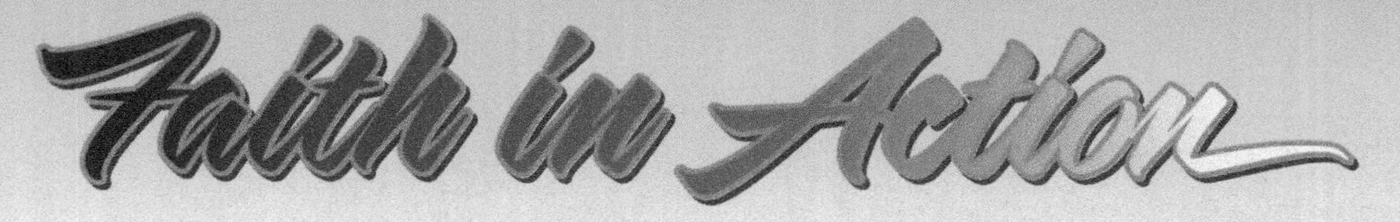

Prayer Box Many parishes have a "Prayer Box." People write petitions on small cards and put them in the box. When a prayer group meets, the members read some of the petitions. Then the group prays for the needs of the people.

Activity How does your parish pray for the needs of its people? Is there a prayer box? Find out. Then you can pray for people's needs, too.

Activity Look at the Prayer Chain. On each link, write the name of a person who needs prayers. Then pray for these people.

Prayer Chain

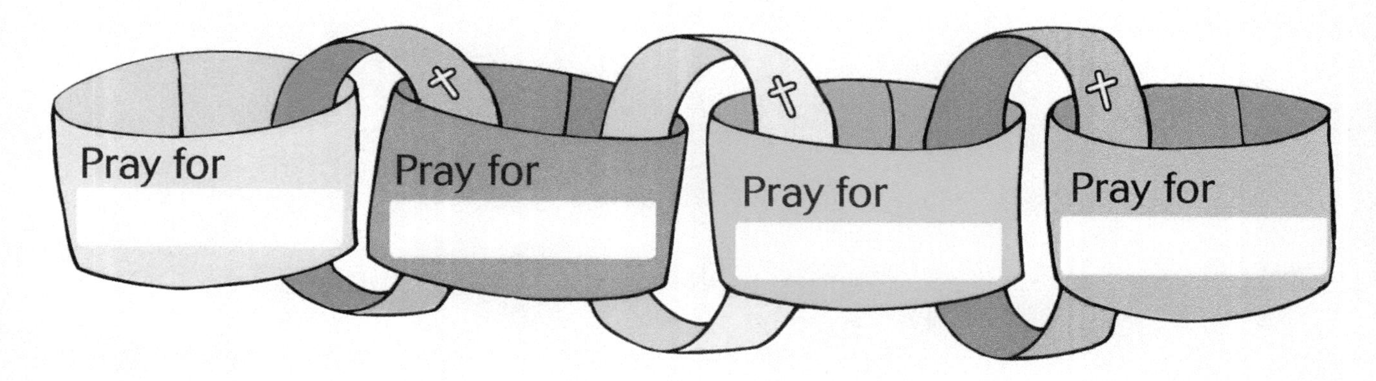

La Iglesia de los seguidores de Jesús

UNIDAD 5

La Iglesia Católica ayuda a las personas necesitadas de todo el mundo. Estas personas son nuestros hermanos y hermanas. Como cristianos bautizados, estamos llamados a amar y servir a los demás.

Vayan por todo el mundo. Compartan con todos la Buena Nueva acerca de Jesús.
Basado en Marcos 16:15

Los primeros cristianos viajaron por este camino hacia países lejanos. Ayudaron a las personas a aprender acerca de Jesús. Estos niños ayudan enviando ropa a las personas necesitadas de todo el mundo.

Jesus' Church of Followers

The Catholic Church throughout the world helps people in need. These people are our brothers and sisters. As baptized Christians, we are called to love and serve others.

Go into the whole world. Share the good news about Jesus with everyone.

Based on Mark 16:15

Early Christians traveled this road to faraway countries. They helped people learn about Jesus. These children are helping by sending clothes to needy people around the world.

Laudate Dominum/ Alaben al Señor

ESTRIBILLO OSTINATO

Lau - da - te Do - mi - num, lau - da - te Do - mi - num
A - la - ben al Se - ñor, a - la - ben al Se - ñor,

1. 2.

om - nes gen - tes, al - le - lu - ia. al - le - lu - ia.
pue - blos to - dos, a - le - lu - ya. a - le - lu - ya.

Texto: Salmo 117; Comunidad de Taizé, 1980
Música: Jacques Berthier, 1923-1994

Laudate Dominum/Sing, Praise and Bless the Lord

OSTINATO REFRAIN

Lau - da - te Do - mi - num, lau - da - te Do - mi - num
Sing, praise and bless the Lord. Sing, praise and bless the Lord.

1. 2.

om - nes gen - tes, al - le - lu - ia. al - le - lu - ia.
Peo - ples! Na - tions! Al - le - lu - ia. Al - le - lu - ia.

Text: Psalm 117; Taizé Community, 1980
Tune: Jacques Berthier, 1923-1994

17 Los seguidores de Jesús forman la Iglesia

Los seguidores de Jesús se llenaron de alegría y del Espíritu Santo.

Basado en Hechos 13:52

Compartimos

Nuestros amigos traen alegría a nuestra vida.

Podemos hacer cosas con ellos.

Podemos compartir cosas con nuestros amigos.

Podemos decirles cómo nos sentimos.

17 Jesus' Followers Become the Church

Jesus' followers were filled with joy and the Holy Spirit.

Based on Acts 13:52

Share

Our friends bring joy to our lives.
We can do things with our friends.
We can share things with our friends.
We can tell our friends how we feel.

Escuchamos y creemos

La Escritura Los primeros cristianos

Después de que Cristo resucitó de entre los muertos, muchas personas empezaron a creer en Él. Se convirtieron en sus seguidores. Esto es lo que estos primeros cristianos hicieron.

Escucharon a los Apóstoles. Trataron de vivir y de actuar como Jesús. Rezaron juntos y celebraron la Eucaristía. Compartieron su comida con los demás. Ayudaron a los pobres. Crecieron en la fe y se dieron alegría los unos a los otros.

Basado en Hechos 2:42–47

Hear & Believe

Scripture The First Christians

After Christ rose from the dead, many people began to believe in him. They became his followers. Here is what these first Christians did.

They listened to the Apostles. They tried to live and act like Jesus. They prayed together and celebrated the Eucharist. They shared their food with each other. They helped people who were poor. They grew in faithand brought joy to one another.

Based on Acts 2:42–47

Actuar como cristianos

Los seguidores de Jesús se convirtieron en los primeros miembros de la Iglesia. Se amaron los unos a los otros. Su fe, o creencia en Dios, era fuerte. Jesús también nos llama para ser miembros de su Iglesia. Cuando mostramos amor a los demás, somos verdaderos cristianos.

Creemos

Jesús nos invita a pertenecer a la Iglesia. Quiere que nuestra fe sea fuerte. Jesús quiere que amemos a los demás.

Nuestra Iglesia nos enseña

Amén es una oración que generalmente rezaban los primeros cristianos. Rezamos "Amén" muchas veces en la Misa. Rezamos "Amén" al final de las oraciones que decimos todos los días. *Amén* significa "Sí, creo. Es verdad".

Palabras de fe

fe
La fe es creer y confiar en Dios.

Amén
Amén significa "Sí, creo. Es verdad". A menudo decimos "amén" al final de las oraciones.

Acting as Christians

The followers of Jesus became the first members of the Church. They loved one another. Their **faith**, or belief in God, was strong. Jesus calls us, too, to be members of his Church. When we show love to others, we are true Christians.

Our Church Teaches

Amen is a prayer often prayed by the first Christians. We pray "Amen" many times at Mass. We pray "Amen" at the end of prayers we say each day. Amen means "Yes, I believe. It is true."

We Believe

Jesus invites us to belong to the Church. He wants our faith to be strong. Jesus wants us to love others.

Faith Words

faith
Faith is belief and trust in God.

Amen
Amen means "Yes, I believe. It is true." We often say "Amen" at the end of prayers.

Respondemos

La Parroquia San Pablo

Las personas de la Parroquia San Pablo tratan de actuar como los primeros cristianos. Éstas son algunas formas en las que muestran su amor por los demás.

La señora Santos les enseña a los niños acerca de Jesús.

Nancy reza con los demás.

Vanesa cuida de los niños pequeños.

Respond

Saint Paul's Parish

The people of Saint Paul's parish try to act like the first Christians. Here are some ways they show love to others.

Mrs. Santos teaches children about Jesus.

Nancy prays with others.

Vanessa takes care of young children.

Actividad

Hay seis palabras en la Sopa de letras de la ventana de la iglesia.
Las palabras dicen cómo tratan de actuar los cristianos.
Halla las palabras y enciérralas en un círculo.

X	A	G	A	O	X	A	P	A
R	F	M	Y	N	K	H	L	P
E	S	C	U	C	H	A	R	R
Z	S	H	D	L	N	B	A	E
A	O	H	A	I	L	L	R	N
R	D	T	R	H	F	A	J	D
O	S	U	C	Z	V	R	Y	E
C	O	M	P	A	R	T	I	R

La señora Carr ayuda a los pobres.

Ryan escucha a un amigo.

El señor Smith lleva a las personas mayores a almorzar.

Activity

There are six words in the church-window Word Search.

The words tell how Christians try to act.

Find the words and circle them.

L	I	S	T	E	N
E	Z	H	B	Q	W
A	T	A	L	K	P
R	P	R	A	Y	U
N	H	E	L	P	V

Mrs. Carr helps people who are poor.

Ryan listens to a friend

Mr. Smith drives senior citizens to lunch.

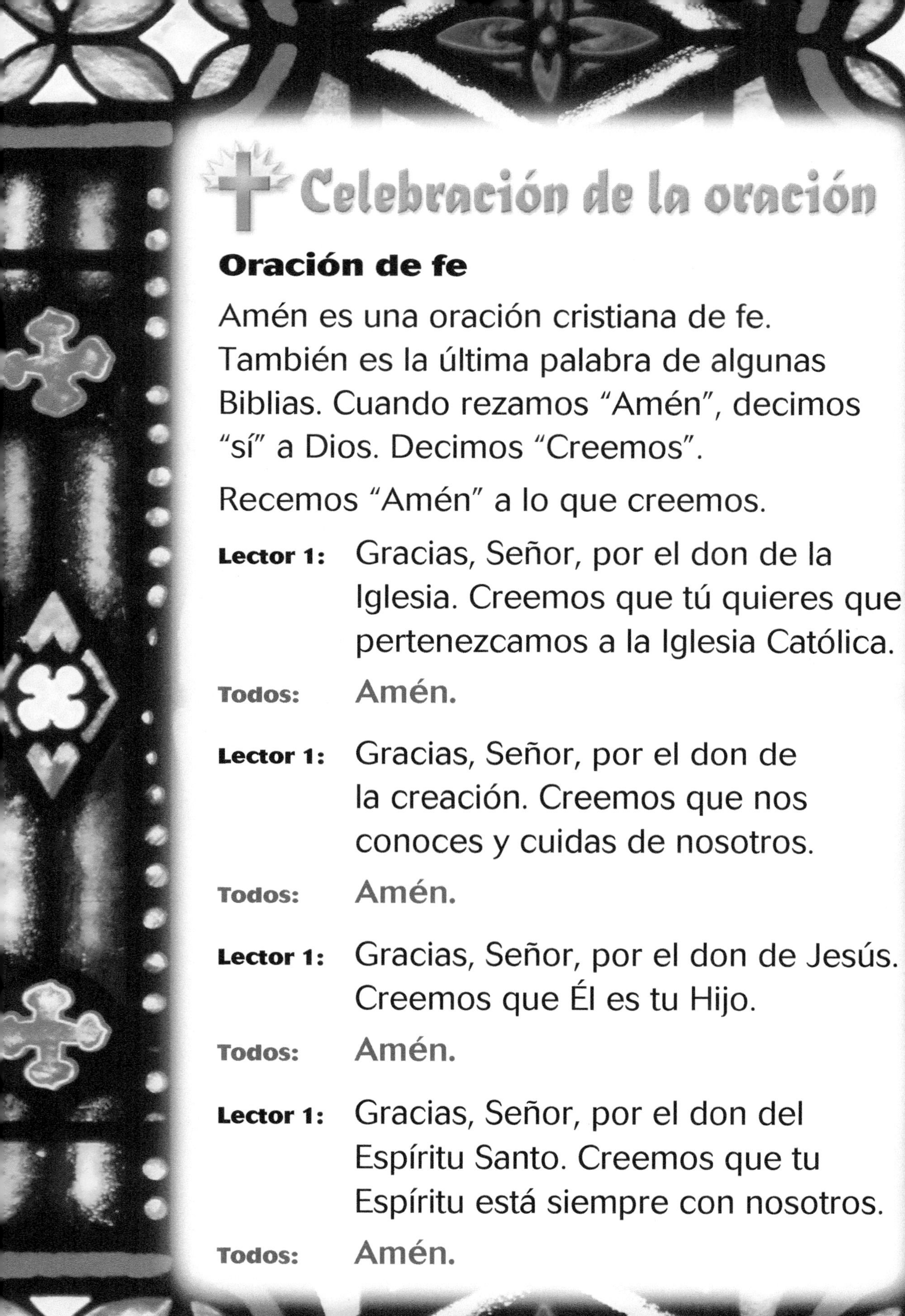

Celebración de la oración

Oración de fe

Amén es una oración cristiana de fe. También es la última palabra de algunas Biblias. Cuando rezamos "Amén", decimos "sí" a Dios. Decimos "Creemos".

Recemos "Amén" a lo que creemos.

Lector 1: Gracias, Señor, por el don de la Iglesia. Creemos que tú quieres que pertenezcamos a la Iglesia Católica.

Todos: **Amén.**

Lector 1: Gracias, Señor, por el don de la creación. Creemos que nos conoces y cuidas de nosotros.

Todos: **Amén.**

Lector 1: Gracias, Señor, por el don de Jesús. Creemos que Él es tu Hijo.

Todos: **Amén.**

Lector 1: Gracias, Señor, por el don del Espíritu Santo. Creemos que tu Espíritu está siempre con nosotros.

Todos: **Amén.**

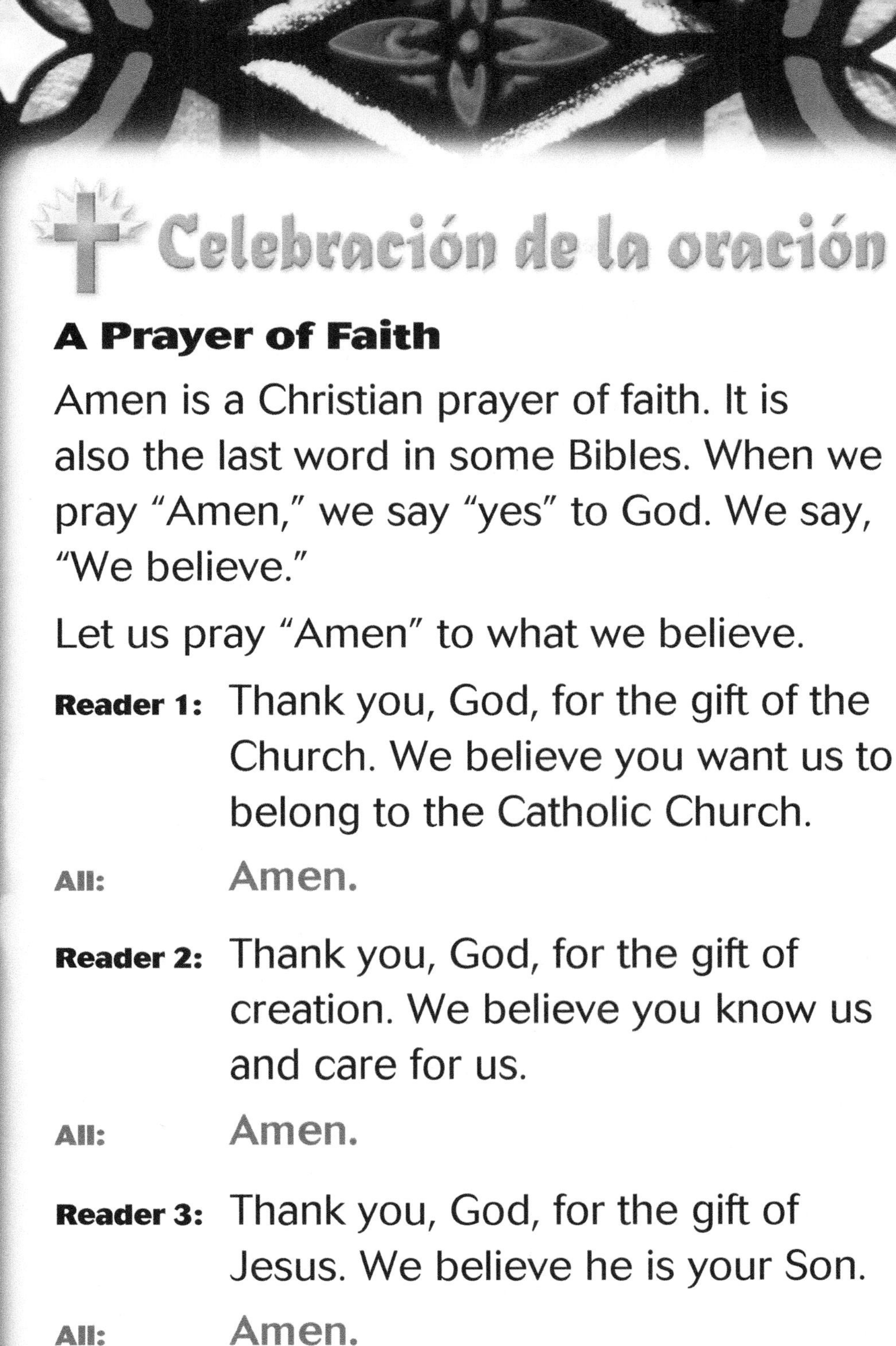

Celebración de la oración

A Prayer of Faith

Amen is a Christian prayer of faith. It is also the last word in some Bibles. When we pray "Amen," we say "yes" to God. We say, "We believe."

Let us pray "Amen" to what we believe.

Reader 1: Thank you, God, for the gift of the Church. We believe you want us to belong to the Catholic Church.

All: Amen.

Reader 2: Thank you, God, for the gift of creation. We believe you know us and care for us.

All: Amen.

Reader 3: Thank you, God, for the gift of Jesus. We believe he is your Son.

All: Amen.

Reader 4: Thank you, God, for the gift of the Holy Spirit. We believe your Spirit is always with us.

All: Amen.

La fe en acción

Ayudantes para encontrar trabajo Si alguien necesita trabajo, la Parroquia Mount Carmel trata de ayudar. El sitio web de la parroquia ofrece una lista de muchas oportunidades de trabajo. Una persona puede ingresar al sitio web. El grupo que ayuda a encontrar trabajo puede ayudar a una persona a que aprenda nuevas destrezas. Eso puede ayudar a la persona a conseguir trabajo.

En tu parroquia

Actividad El señor Mann perdió su trabajo de carpintero. Su esposa está enferma y no puede trabajar. Sus hijos necesitan ropa. ¿Cómo podría ayudar tu parroquia?

En la vida diaria

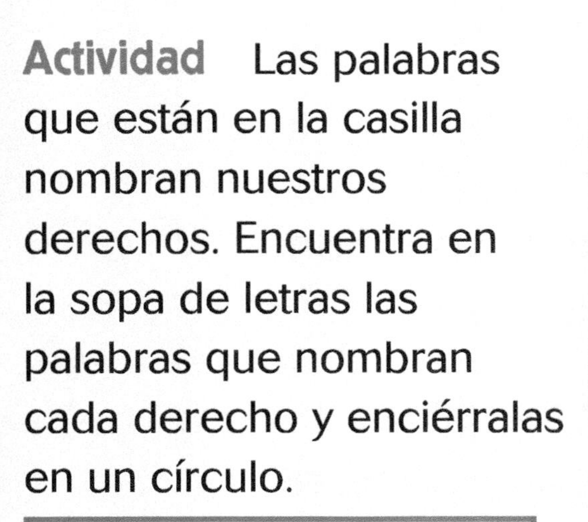

Actividad Las palabras que están en la casilla nombran nuestros derechos. Encuentra en la sopa de letras las palabras que nombran cada derecho y enciérralas en un círculo.

alimentos	**escuela**
zapatos	**médico**
hogar	**trabajo**

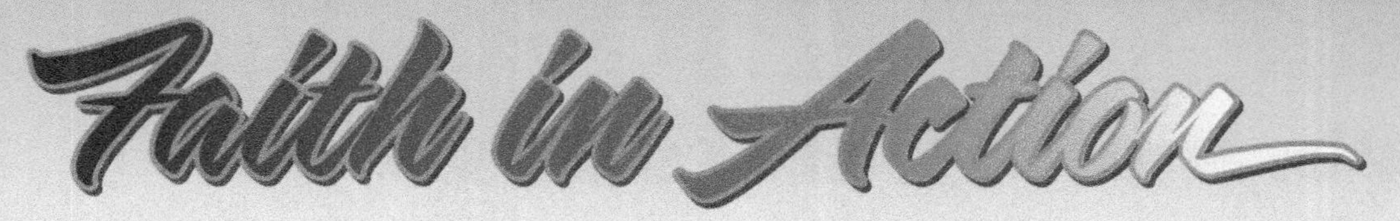

Job-Finding Helpers If someone needs a job, Mount Carmel Parish tries to help. The parish Web site lists many job openings. A person can sign up on the Web site. The job-finding group can help a person learn new skills. That can help the person get a job.

Activity Mr. Mann lost his job as a carpenter. His wife is ill and cannot work. Their children need clothes. How could your parish help?

Activity The words in the box name our rights. Find and circle each right in the Word Search.

food
shoes
home
school
doctor
job

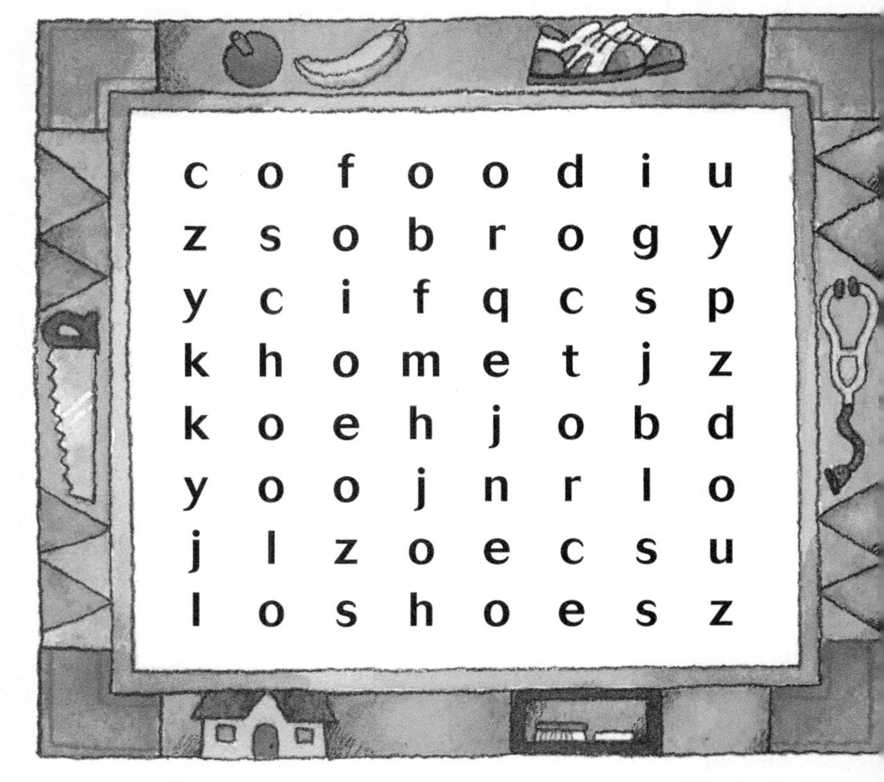

18 Celebramos Pentecostés

El Espíritu del Señor llena
el mundo entero.

Basado en Sabiduría 1:7

Compartimos

Los cumpleaños son días muy especiales. Nuestra familia y nuestros amigos celebran con nosotros. Están contentos porque les pertenecemos. ¿Cuándo es tu cumpleaños?

____

Mes **Día**

Encierra en un círculo las cosas que fueron parte de la fiesta de tu último cumpleaños.

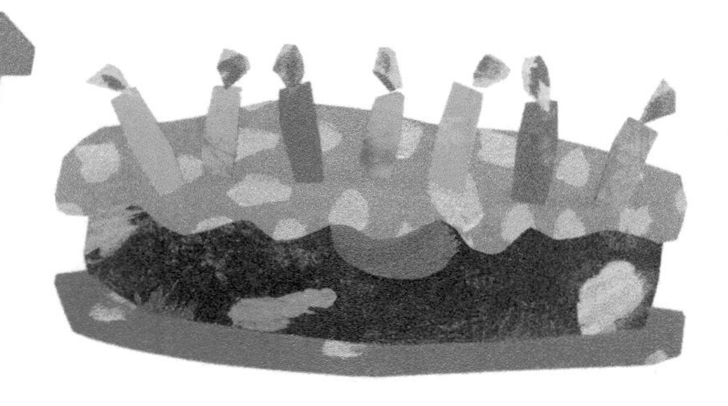

Dibuja otra cosa especial que hubo en esa celebración.

18 We Celebrate Pentecost

The Spirit of the Lord fills the whole world.

Based on Wisdom 1:7

Share

Birthdays are very special days.
Our families and friends celebrate with us.
They are glad that we belong to them.
When is your birthday?

____

Month Day

Circle the things that were part of your last birthday celebration.

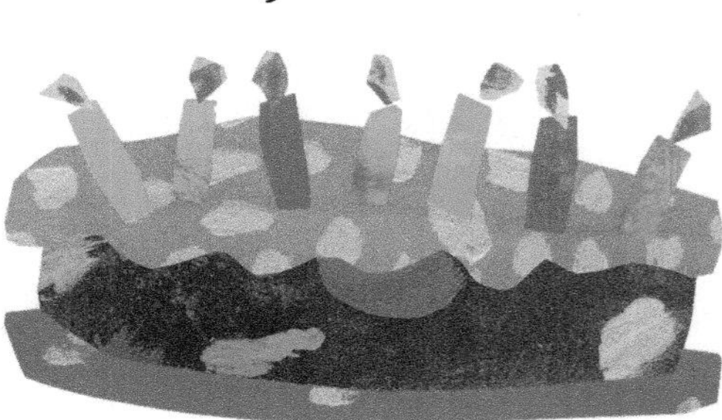

Draw another special thing that was at your birthday celebration.

Escuchamos y creemos

El culto El nacimiento de la Iglesia

Lectura de los Hechos de los Apóstoles

Cincuenta días después de la Pascua, los seguidores de Jesús estaban rezando juntos. De pronto, hubo un sonido como de un gran viento. El ruido llenó toda la casa. Luego aparecieron llamas, como lenguas de fuego, sobre la cabeza de todas las personas. El Espíritu Santo llenó a todas las personas de la casa con el amor de Dios. Los Apóstoles y los demás corrieron hacia afuera. Empezaron a contarles a todos acerca de Jesús.

Afuera había personas de muchos países. Estas personas hablaban idiomas diferentes. Pero todos entendieron lo que los seguidores de Jesús decían. ¡Ese día nació la Iglesia!

Basado en Hechos 2:1–6

Lector: Palabra de Dios.

Todos: Te alabamos, Señor.

Hear & Believe

Worship The Church's Birthday

A reading from the Acts of the Apostles

Fifty days after Easter, Jesus' followers were praying together. Suddenly there was a sound like a great wind blowing. The noise filled the whole house. Then flames, like tongues of fire, appeared over each person's head.

The Holy Spirit filled all the people in the house with God's love. The Apostles and the others rushed outside. They began telling everyone about Jesus.

Outside there were people from many countries. These people spoke different languages. But they all understood what Jesus' followers were saying. That day the Church was born!

Based on Acts 2:1–6

Reader: The word of the Lord.

All: **Thanks be to God.**

Domingo de Pentecostés

El domingo de Pentecostés celebramos el nacimiento de la Iglesia. Recordamos cómo los seguidores de Jesús se llenaron del Espíritu Santo. Recordamos que el Espíritu Santo los ayudó a enseñar a personas de muchos países acerca de Jesús.

Nuestra Iglesia nos enseña

La Iglesia da la bienvenida a personas de todas las razas, idiomas y capacidades. Hoy pertenecen a la Iglesia personas de todo el mundo. Como católicos, tratamos de vivir en **paz** con todos.

Creemos

En Pentecostés, el Espíritu Santo llenó a los seguidores de Jesús con el amor de Dios. La Iglesia que comenzó en Pentecostés está ahora por todo el mundo.

Palabras de fe

Pentecostés
El día de Pentecostés celebramos la venida del Espíritu Santo y el nacimiento de la Iglesia.

Pentecost Sunday

We celebrate the birthday of the Church on **Pentecost** Sunday. We remember how Jesus' followers were filled with the Holy Spirit. We remember that the Holy Spirit helped them teach people from many countries about Jesus.

Our Church Teaches

The Church welcomes people of all races, languages, and abilities. Today people all over the world belong to the Church. As Catholics, we try to live in **peace** with everyone.

We Believe

On Pentecost the Holy Spirit filled Jesus' followers with God's love. The Church that began on Pentecost is now all over the world.

Faith Words

Pentecost
On Pentecost we celebrate the coming of the Holy Spirit and the birthday of the Church.

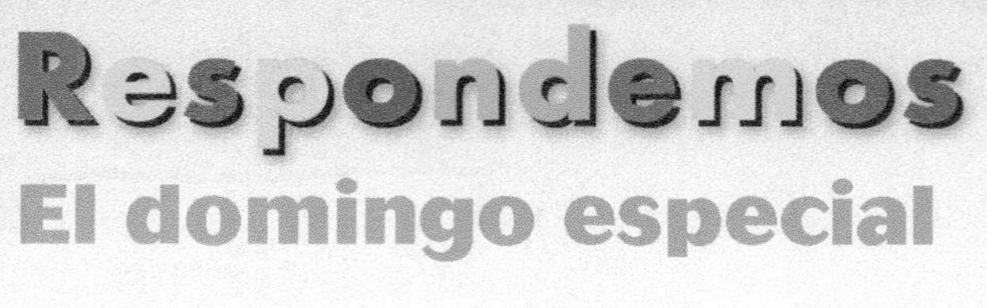

Respondemos

El domingo especial

Pentecostés es un domingo especial en la parroquia de Sylvia. Se invita a los niños a caminar en una procesión. Llevan banderas de muchos países. Sylvia lleva una bandera de México. Su amigo Ravi lleva una bandera de la India. Las banderas les recuerdan a todos que la Iglesia está formada por personas de todo el mundo.

Durante la Misa, las personas cantan en diferentes idiomas. Después de la Misa, todos salen a comer alimentos y a jugar juegos de diferentes países.

¿Qué celebraron las personas de la parroquia de Sylvia en Pentecostés?

Respond

The Special Sunday

Pentecost is a special Sunday in Sylvia's parish. The children are invited to walk in a procession. They carry flags from many countries. Sylvia carries a flag from Mexico. Her friend, Ravi, carries an Indian flag. The flags remind everyone that the Church is made up of people from all over the world.

During Mass, the people sing in different languages. After Mass, everyone goes outside to eat foods and play games from different countries.

❓ What did the people in Sylvia's parish celebrate on Pentecost?

Actividad

1. Muchas personas diferentes forman la Iglesia. Muchos colores forman una ilustración hermosa. Usa este código para colorear la ilustración. ¿Qué ves?

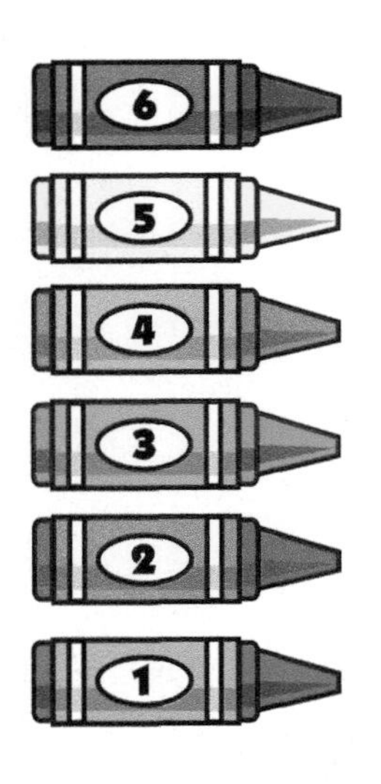

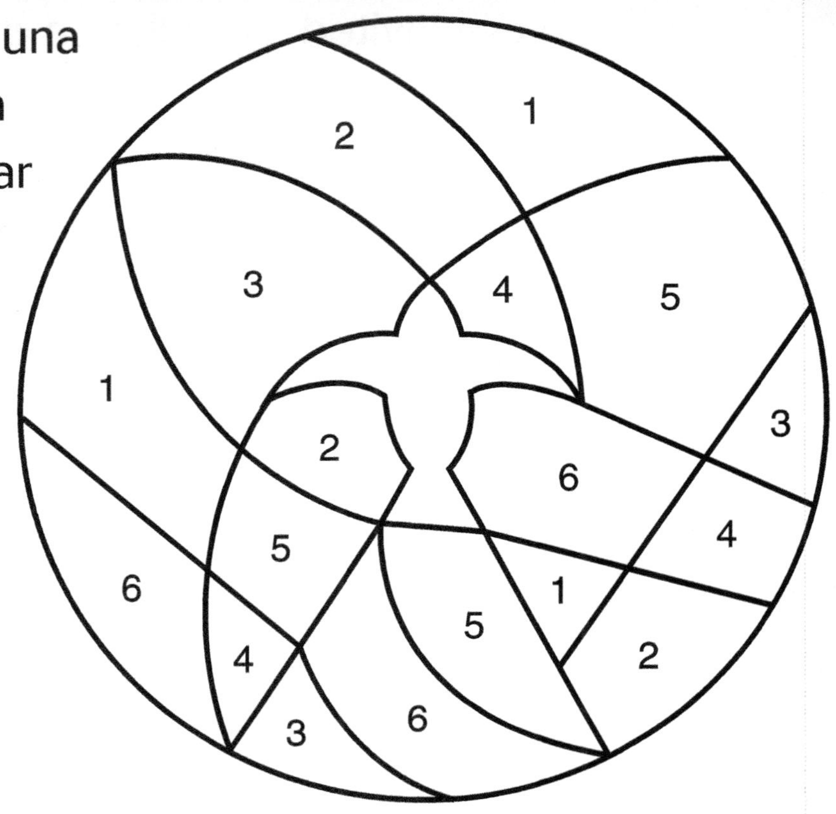

2. Encierra en un círculo las palabras que dicen formas de mantener la paz.

   Estás jugando con un amigo.

   hacer trampa **jugar limpio**

   Un amigo te insulta.

   perdonar **enojarse**

   Hay un juguete y tres niños.

   agarrarlo **compartirlo**

   Un miembro de tu familia te necesita.

   ayudar **mirar televisión**

Activity

1. Many different people make up the Church. Many colors make a beautiful picture. Use this code to color the picture. What do you see?

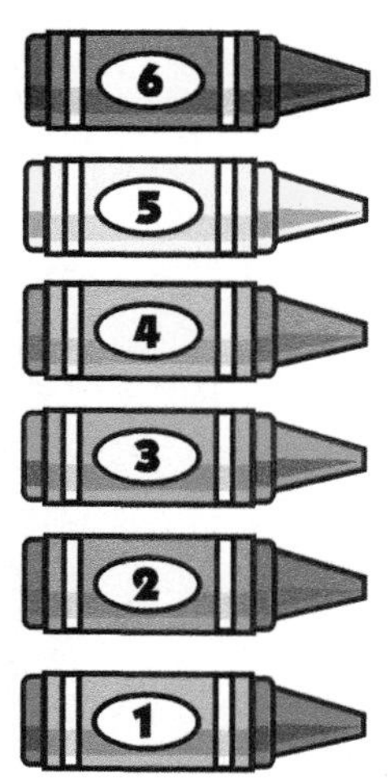

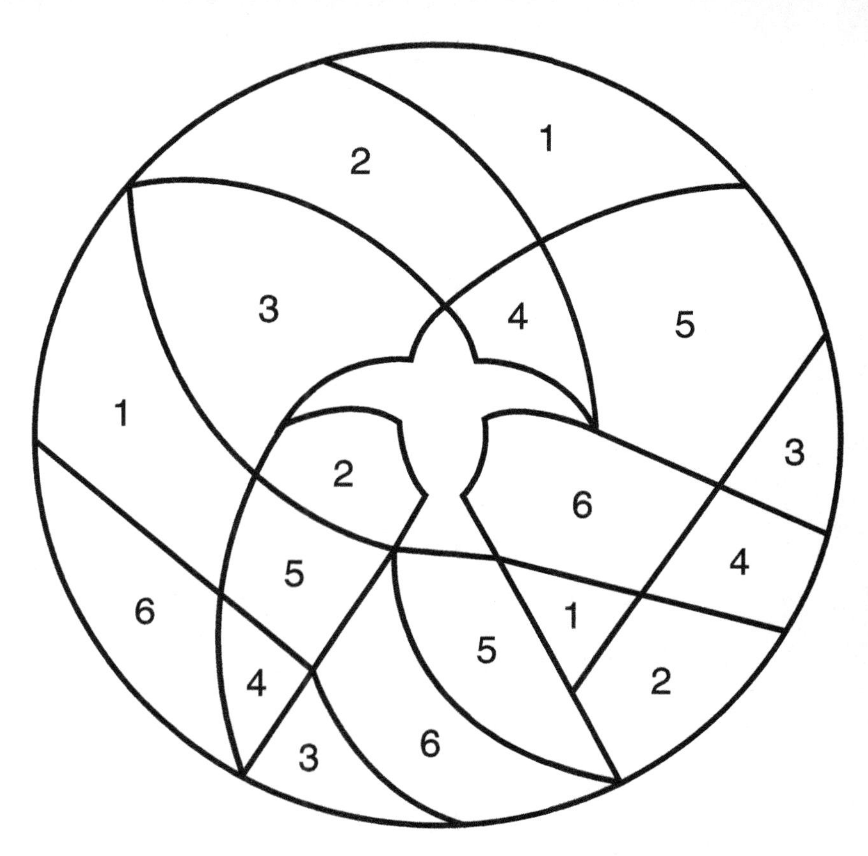

2. Circle the words that tell ways to keep peace.

   You are playing a game with a friend.

   cheat **play fair**

   A friend calls you names.

   forgive **act mad**

   There is one toy, but three people.

   take it **share it**

   A family member needs you.

   help **watch TV**

Celebración de la oración

Oración en silencio

Creemos que el Espíritu Santo vive en nosotros. El silencio nos ayuda a sentir la cercanía y el amor de Dios. Una forma de estar en silencio es relajar el cuerpo. Podemos relajarnos al cerrar los ojos y respirar muy suavemente.

Inspira: 1, 2, 3, 4, 5, 6

Mantén la respiración: 1, 2, 3

Expira: 1, 2, 3, 4, 5, 6

(Repite 3 ó 4 veces.)

Ahora quédate quieto y escucha a Dios en tu corazón.

Siente el amor y la paz del Espíritu Santo.

Prayer Celebration

A Silent Prayer

We believe the Holy Spirit lives in us. Silence helps us feel God's nearness and love. One way to become silent is by relaxing our bodies. We can relax by closing our eyes and breathing very slowly.

Breathe in: 1, 2, 3, 4, 5, 6

Hold your breath: 1, 2, 3

Breathe out: 1, 2, 3, 4, 5, 6

(Repeat 3 or 4 times.)

Now, be still and listen to God in your heart.

Feel the love and peace of the Holy Spirit.

La fe en acción

Lectores de la Palabra de Dios En la Misa escuchamos lecturas de la Biblia. Las personas que leen la Palabra de Dios se llaman lectores. En casa aprenden acerca de los relatos de la Biblia. Practican la lectura de los relatos en voz alta. Los lectores quieren que escuchemos el mensaje de Dios. Quieren que creamos las palabras que escuchamos.

Actividad En Pentecostés, un lector lee en voz alta el relato de la Biblia acerca de la venida del Espíritu Santo.
Encierra en un círculo las palabras de la casilla que están en el relato de Pentecostés. Luego cuenta el relato con tus propias palabras.

Actividad Elige de tu libro un relato preferido de la Biblia.
Lee el relato para ti mismo. Luego simula que eres un lector.
Lee la Palabra de Dios a los demás.

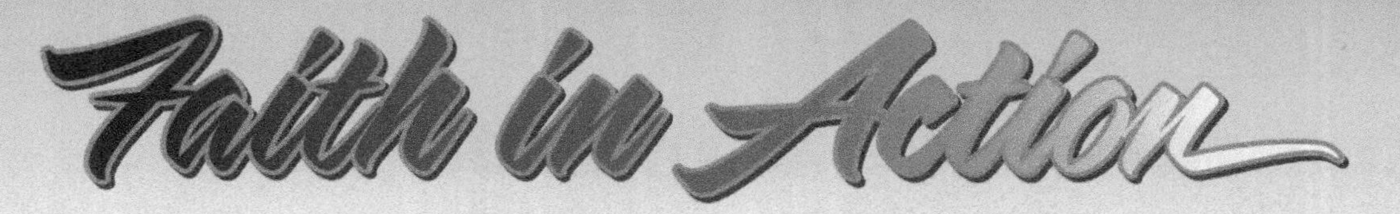

Readers of God's Word At Mass, we listen to readings from the Bible. The people who read the Word of God are called lectors. At home, they learn about the Bible stories. They practice reading the stories aloud. The lectors want us to hear God's message. They want us to believe the words we hear.

In Your Parish

Activity On Pentecost a lector reads aloud the Bible story about the coming of the Holy Spirit.
Circle the words in the box that are in the Pentecost story. Then tell the story in your own words.

Activity Choose a favorite Bible story from your book. Read the story to yourself. Then pretend you are a lector. Read the Word of God to others.

19 La Iglesia ayuda al mundo

Vayan por el mundo entero. Compartan con todos la Buena Nueva acerca de Jesús.

Basado en Marcos 16:15

Compartimos

Antes de que podamos ayudar a los demás, debemos averiguar qué necesitan. Mira estas fotografías. ¿Qué necesitan estas personas?

Él necesita

____

______________________________.

Ellos necesitan

____

______________________________.

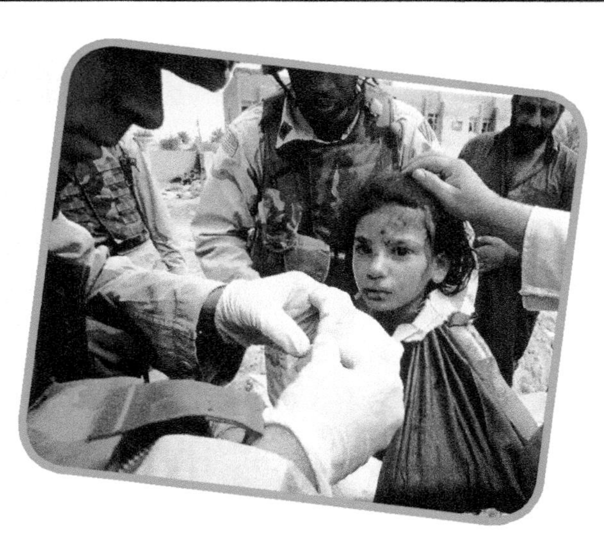

Ella necesita

____

______________________________.

19 The Church Helps the World

Go into the whole world. Share the good news about Jesus with everyone.

Based on Mark 16:15

Share

Before we can help others, we must find out what they need. Look at these pictures. What do the people need?

He needs

____

____

______________________________.

They need

____

____

______________________________.

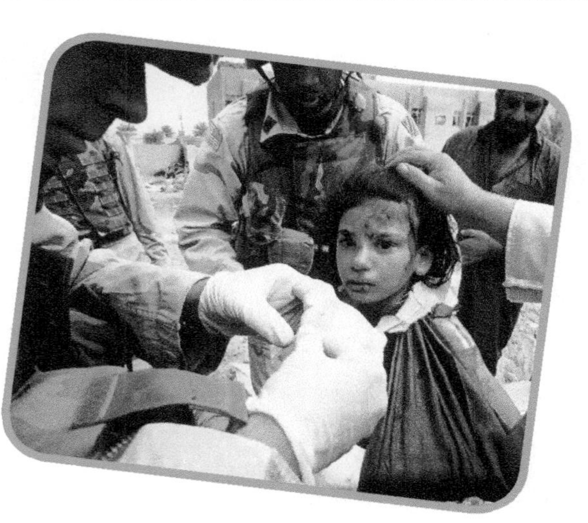

She needs

____

____

______________________________.

Escuchamos y creemos

La Escritura Necesidad de ayudantes

Los seguidores de la Iglesia de Jesús aumentaron rápidamente. Los Apóstoles tenían mucho trabajo que hacer. Así que le pidieron a la comunidad que eligiera ayudantes. Algunos de estos ayudantes fueron Esteban, Felipe y Nicolás. Esteban sabía contarles a las personas la Palabra de Dios en la Biblia. Los otros se aseguraban de que las personas tuvieran comida, ropa y un lugar para vivir.

Entonces los Apóstoles tuvieron tiempo para hablar a más personas acerca de Jesús. Tuvieron más tiempo para dirigir a las personas en la oración y para empezar comunidades nuevas.

Basado en Hechos 6:1–7

Hear & Believe

Scripture The Need for Helpers

The Church of Jesus' followers grew quickly. There was too much work for the Apostles to do by themselves. So they asked the community to choose helpers. Some of these helpers were Stephen, Philip, and Nicholas. Stephen was good at telling people about God's word in the Bible. The others made sure the people had food, clothes, and a place to live.

Then the Apostles had time to tell more people about Jesus. They had more time to lead people in prayer and to start new communities.

Based on Acts 6:1–7

Servicio cristiano

Los primeros cristianos aprendieron que Dios llama a todos para ayudar y **servir** a los demás. Cuidaron de todos en su comunidad. Ayudar a las personas también es nuestra **misión**. Cuando cuidamos de las necesidades de los demás, seguimos a Jesús.

Nuestra Iglesia nos enseña

Todas las personas del mundo son nuestros hermanos y hermanas. Muchas personas necesitan ayuda. Cada persona que está bautizada es llamada a amar y servir a los demás. El Espíritu Santo nos ayuda a servir a los demás con amor, paz y alegría.

Creemos

Todas las personas del mundo son nuestros hermanos y hermanas. Por esa razón Dios nos pide que ayudemos a los necesitados.

Palabras de fe

misión
Nuestra misión como cristianos es amar y servir a los demás.

Christian Service

The first Christians learned that God calls everyone to help and **serve** others. They took care of everyone in their community. Helping people is our **mission**, too. When we take care of the needs of others, we follow Jesus.

We Believe

All people in the world are our brothers and sisters. That is why God asks us to help people in need.

Our Church Teaches

All the people in the world are our brothers and sisters. Many people need help. Each baptized person is called to love and serve others. The Holy Spirit helps us serve others with love, peace, and joy.

Faith Words

mission
Our mission as Christians is to love and serve others.

Respondemos

Los católicos ayudan a los demás

La Iglesia Católica ayuda a personas de todo el mundo. Algunos católicos sirven en países lejanos. Ayudan a las personas dándoles comida, ropa y medicinas. Les enseñan a leer y a escribir. Les hablan acerca de Jesús.

Algunos católicos sirven en nuestro país. Construyen casas para los pobres. Les sirven comida a los desamparados. También les enseñan a las personas acerca de Jesús.

¿Cómo podemos ayudar a los ayudantes de nuestra Iglesia?

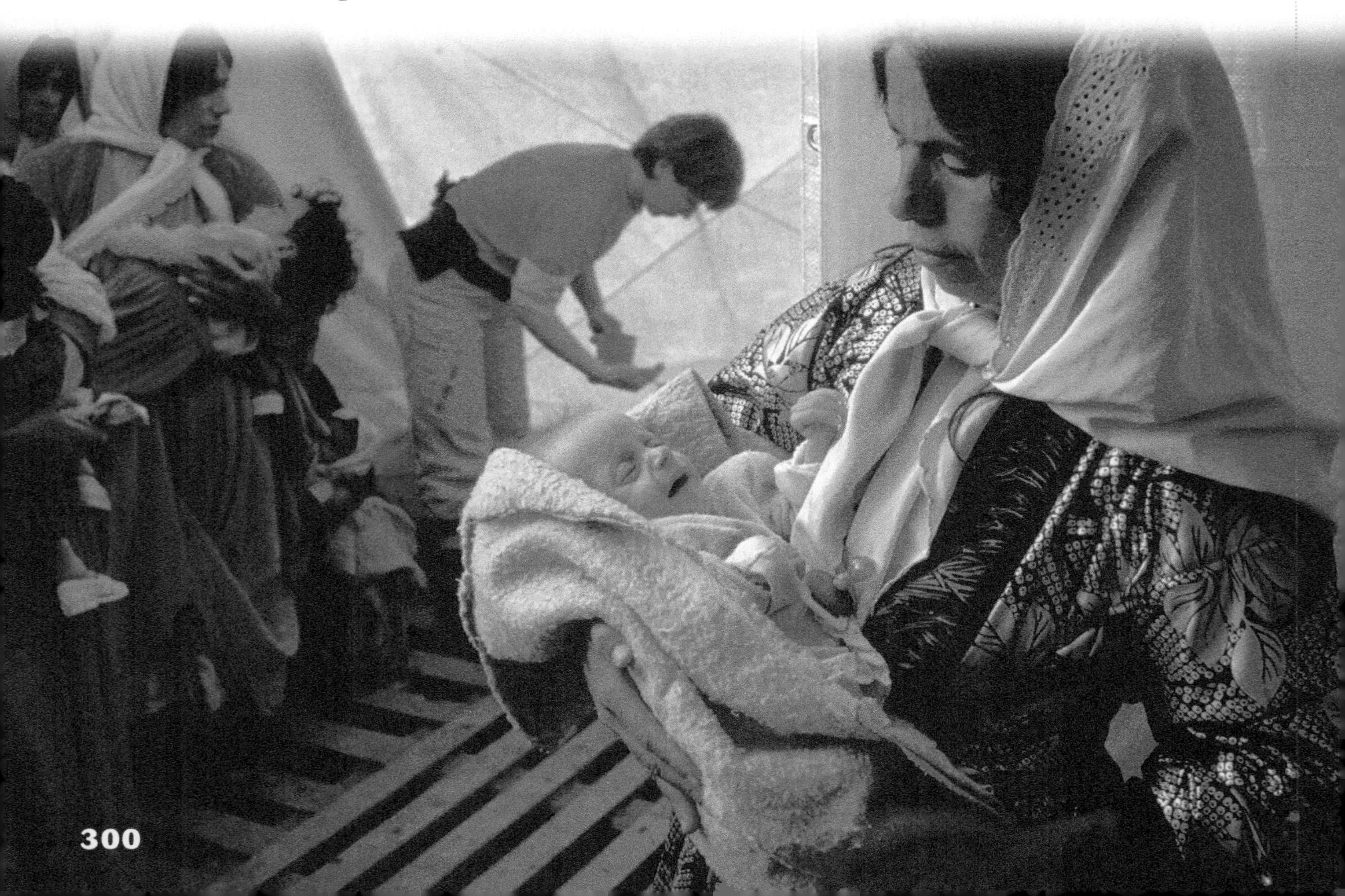

Respond

Catholics Help Others

The Catholic Church helps people all over the world. Some Catholics serve in countries far away. They help people by giving them food, clothes, and medicine. They teach people how to read and write. They tell people about Jesus.

Some Catholics serve in our own country. They build houses for the poor. They serve food to homeless people. They also teach people about Jesus.

? How can we help our Church's helpers?

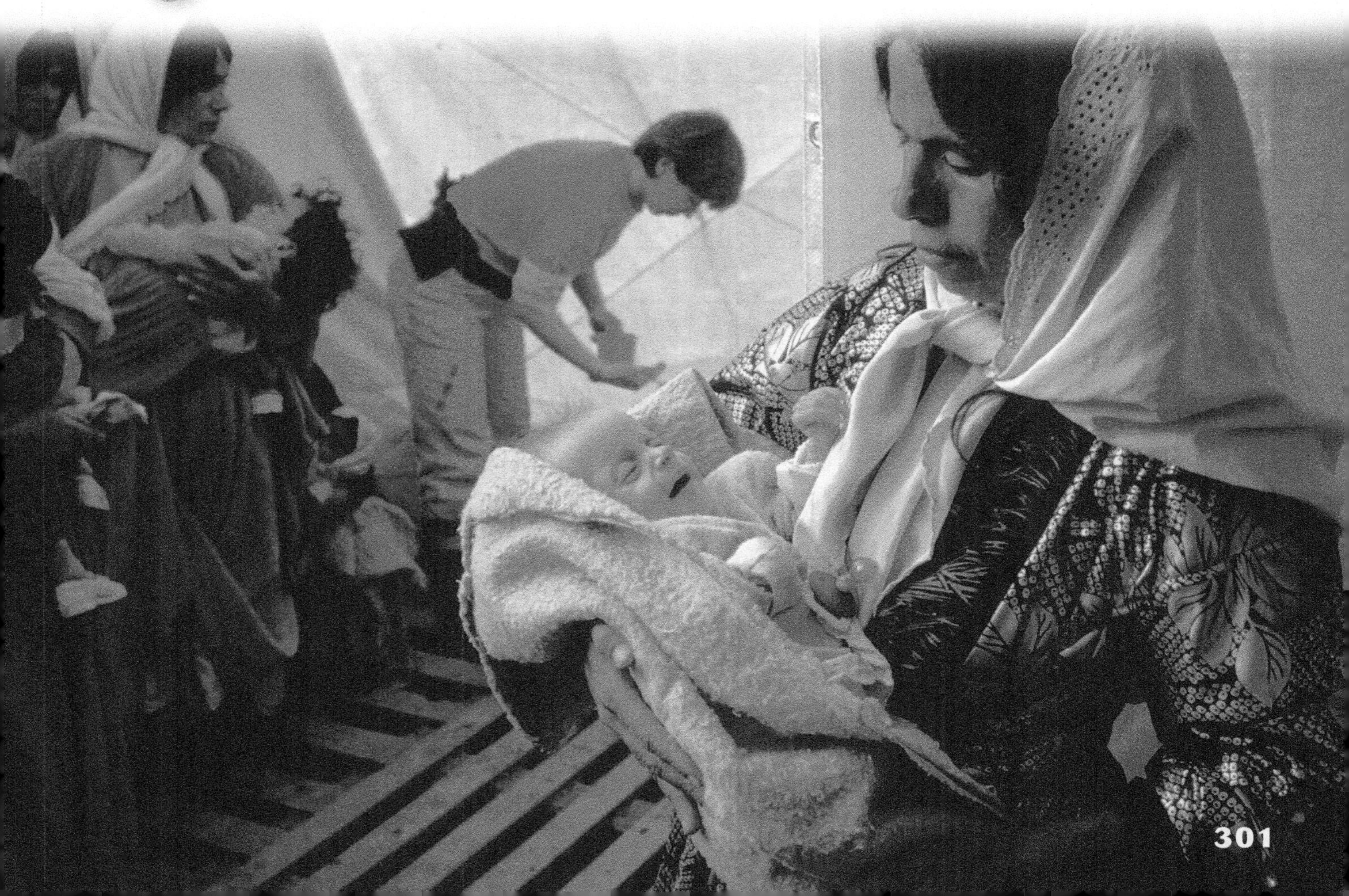

Actividad

1. Dibuja cómo ayudarás a un necesitado esta semana.

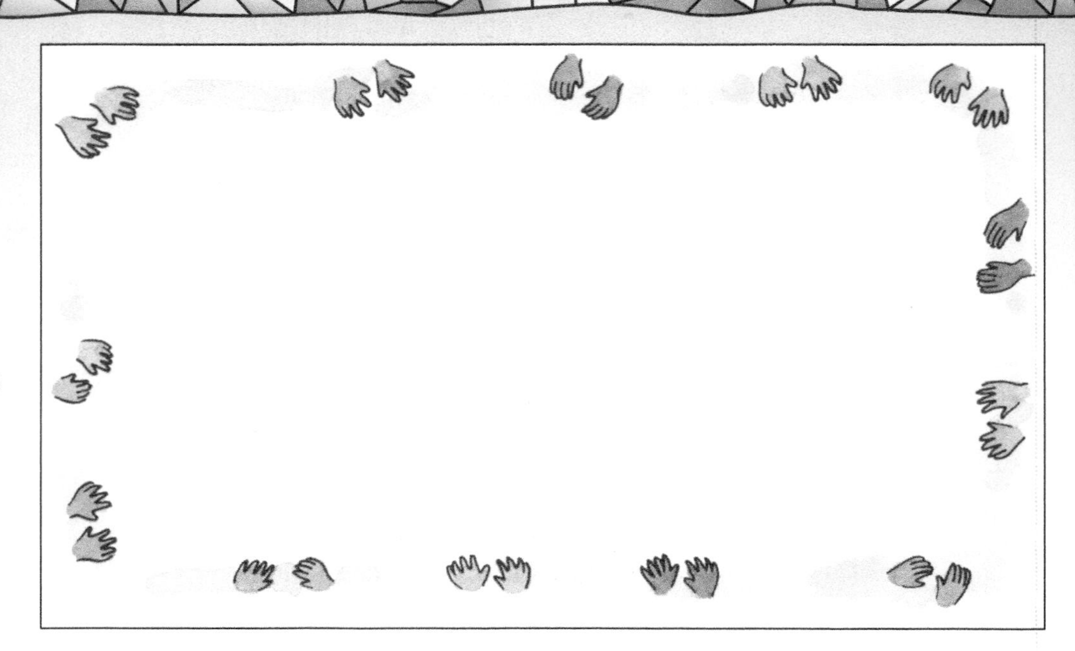

2. Escribe una oración para los ayudantes de la iglesia que sirven a las necesidades de los demás.

Activity

1. Draw how you will help someone in need this week.

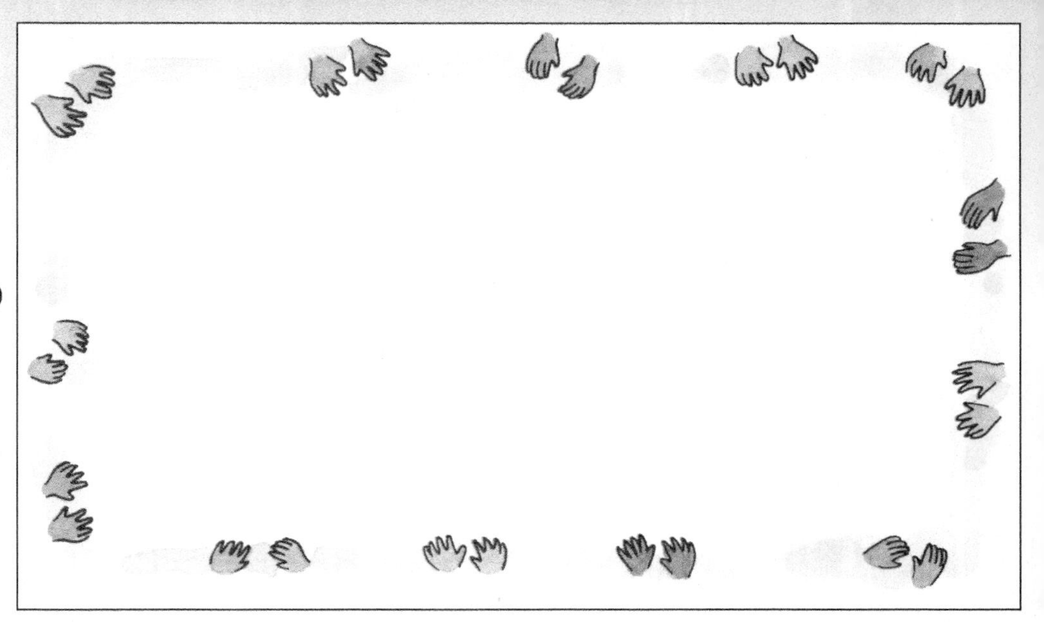

2. Write a prayer for church helpers who serve the needs of others.

Celebración de la oración

Decirle "sí" a Dios

Líder: A medida que creces, Dios te pide que ames y sirvas a los demás. ¿Estás escuchando? ¿Estás listo para decirle "sí" a Dios?

Recemos para decirle "sí" a Dios.

Todos: **Señor, nuestro Creador, nos llamaste por nuestro nombre para que pertenezcamos a tu Iglesia. A medida que crecemos, ayúdanos a oír tu voz. Danos la fuerza para decirle "sí" a tu llamado. Amén.**

Prayer Celebration

Saying "Yes" to God

Leader: As you grow up, God asks you to love and serve others. Are you listening? Are you ready to say "yes" to God?

Let us pray about saying "yes" to God.

All: **God, our Creator, you called us by name to belong to your Church. As we grow up, help us to hear your voice. Give us the courage to say "yes" to your call. Amen.**

La fe en acción

Grupo del Rosario familiar En algunas parroquias, las familias se reúnen una vez por semana para rezar el Rosario. Rezan por la paz en el mundo. Cada familia se turna para nombrar un lugar del mundo que necesita paz. Los niños sostienen fotografías de ese lugar. Entonces el grupo reza para que la paz llegue a las personas que viven allí.

Actividad En la Misa del domingo, tu parroquia reza por la paz en el mundo. Piensa en un lugar que necesite paz. Crea tu propia oración por la paz.

Actividad Escribe o dibuja una forma en la que puedes ser un mediador de paz en tu familia, en tu escuela o en tu vecindario.

Family Rosary Group In some parishes, families gather once a week to pray the Rosary. They pray for peace in the world. Each family takes a turn naming a place in the world that needs peace. The children hold up pictures of that place. Then the group prays that peace will come to the people who live there.

Activity At Sunday Mass, your parish prays for peace in the world. Think of a place that needs peace. Make up your own prayer for peace.

In Everyday Life

Activity Write or draw about a way you can be a peacemaker in your family, school, or neighborhood.

20 Rezamos con cánticos sagrados

Mi corazón está lleno de alegría.
Canto palabras de alabanza a mi Dios.

Basado en el Salmo 28:7

Compartimos

Las personas cantan por muchas razones.
Las canciones hacen dormir a los bebés.
Las canciones nos recuerdan a nuestro país.

Las canciones nos quitan los miedos. Las canciones celebran los momentos felices.

¿Cuál es tu canción preferida?

____

20 We Pray with Holy Songs

My heart is full of joy.
I sing praises to my God.

Based on Psalm 28:7

Share

People sing for many reasons.
Songs put babies to sleep.
Songs remind us of our country.

Songs take away our fears.
Songs celebrate happy times.

What is your favorite song?

____

____

Escuchamos y creemos

La Escritura Canciones de los primeros cristianos

Cuando los primeros cristianos celebraban la Eucaristía, hacían varias cosas. Leían la Biblia. Rezaban. Recibían el Cuerpo y la Sangre de Jesús. Y cantaban canciones.

¿Por qué cantaban? Esto es lo que Pablo les dijo a los primeros cristianos.

Estén llenos del Espíritu de Dios. Canten salmos e himnos a Dios Padre. Canten su agradecimiento y alaben a Dios en el nombre de nuestro Señor Jesucristo.

Basado en Efesios 5:18–19

Hear & Believe

Scripture Songs of the First Christians

When the first Christians celebrated the Eucharist, they did several things. They read the Bible. They prayed. They received the Body and Blood of Jesus. And they sang songs.

Why did they sing? Here is what Paul told the first Christians.

Be filled with God's Spirit. Sing psalms and hymns to God the Father. Sing your thanks and praise to God in the name of our Lord Jesus Christ.

Based on Ephesians 5:18–19

Rezar con cánticos sagrados

Los primeros cristianos cantaban porque el Espíritu Santo los llenó de alegría. Cantar los ayudaba a rezar.

Rezamos cuando cantamos **himnos** o cánticos sagrados. Por medio de las canciones, damos gracias a Dios y lo alabamos. Le pedimos a Dios que nos ayude. Le decimos a Dios que queremos ayudar a los demás.

Nuestra Iglesia nos enseña

Cuando cantamos himnos en la Misa, rezamos con nuestra voz. Estos cánticos sagrados ayudan a elevar nuestro corazón hacia Dios. Las palabras que cantamos le dan gracias y alaban a Dios.

Creemos

Cuando cantamos, rezamos dos veces. Rezamos con nuestra voz. También rezamos con nuestro corazón.

Palabras de fe

himnos
Los himnos son cánticos sagrados que elevan nuestro corazón hacia Dios.

Praying with Holy Songs

The first Christians sang because the Holy Spirit filled them with joy. Singing helped them to pray.

We pray when we sing **hymns**, or holy songs. Through song, we give God thanks and praise. We ask God for help. We tell God that we want to help others.

We Believe

When we sing, we pray twice. We pray with our voices. We also pray with our hearts.

Our Church Teaches

When we sing hymns at Mass, we pray with our voices. These holy songs help lift our hearts to God. The words we sing thank and praise God.

Faith Words

hymns
Hymns are holy songs that lift our hearts to God.

Respondemos

A Amanda le encanta cantar

A Amanda le encanta cantar en la iglesia. Canta cuando la comunidad de su parroquia se reúne para alabar a Dios. Después de la primera lectura de la Biblia, canta un salmo. Canta un himno cuando las personas llevan el pan y el vino al altar. Le reza a Dios, nuestro Padre, cuando canta el Padre Nuestro. Amanda canta en el momento de la comunión. También canta al final de la Misa.

A veces, durante la semana, Amanda tararea las canciones de la Misa. La música le recuerda dar gracias a Dios y alabarlo. Le recuerda vivir en paz. Le ayuda a amar y servir a los demás.

¿Qué cánticos sagrados te gusta tararear?

Respond

Amanda Loves to Sing

Amanda loves to sing at church. She sings as her parish community gathers to praise God. After the first Bible reading, she sings a psalm. She sings a hymn when people bring the bread and wine to the altar. She prays to God, our Father, when she sings the Lord's Prayer. Amanda sings at communion time. She also sings at the end of Mass.

Sometimes during the week, Amanda hums the songs from Mass. The music reminds her to give God thanks and praise. It reminds her to live in peace. It helps her love and serve others.

? What holy songs do you like to hum?

Actividad

Usa estas palabras para completar las frases.
Luego escribe las palabras en el crucigrama.

himno **alabamos** **rezar** **salmo** **gracias**

VERTICALES

1. Le damos a Dios las ___ ___ ___ ___ ___ ___ ___
gr___ ___ ___ ___ ___.

3. Cantar es una forma ___ ___ ___ ___ ___
de ___ ___ ___ ___ ___.

HORIZONTALES

2. Al cantar, ___ ___ ___ ___ ___ ___ ___ ___
___ ___ ___ ___ ___ ___ ___ ___ a Dios.

3. Un ___ ___ ___ ___ ___ es una canción que también es una oración.

4. Un ___ ___ ___ ___ ___ es un cántico sagrado.

Activity

Use these words to complete the sentences.
Then write the words in the puzzle.

hymn **praise** **pray** **psalm** **thanks**

DOWN

1. We give God th____ ____ ____ ____.

3. Singing is a ____ ____ ____ ____ way to ____ ____ ____ ____.

ACROSS

2. By singing, we ____ ____ ____ ____ ____ ____ God.

3. A ____ ____ ____ ____ ____ is a song that is also a prayer.

4. A ____ ____ ____ ____ is a holy song.

Celebración de la oración

Oración de alabanza y de acción de gracias

Líder: Nuestro año juntos está llegando a su fin. Recordemos los buenos momentos que tuvimos. Cantemos nuestra alabanza y nuestras gracias a Dios.

Lado 1: Canten todos alabanzas a Dios.

Lado 2: Den gracias al santo nombre de Dios.

Lado 1: Canten alegremente a Dios, y toquen música.

Lado 2: Con trompetas y cuernos, canten alabanzas.

Basado en el Salmo 30:5 y el Salmo 98:4–6

Líder: Te agradecemos, oh, Señor, por un año maravilloso. Especialmente, te damos gracias por:

(Cada niño nombra una cosa.)

Líder: Vayamos ahora en paz para amar y servir al Señor.

Todos: Demos gracias a Dios.

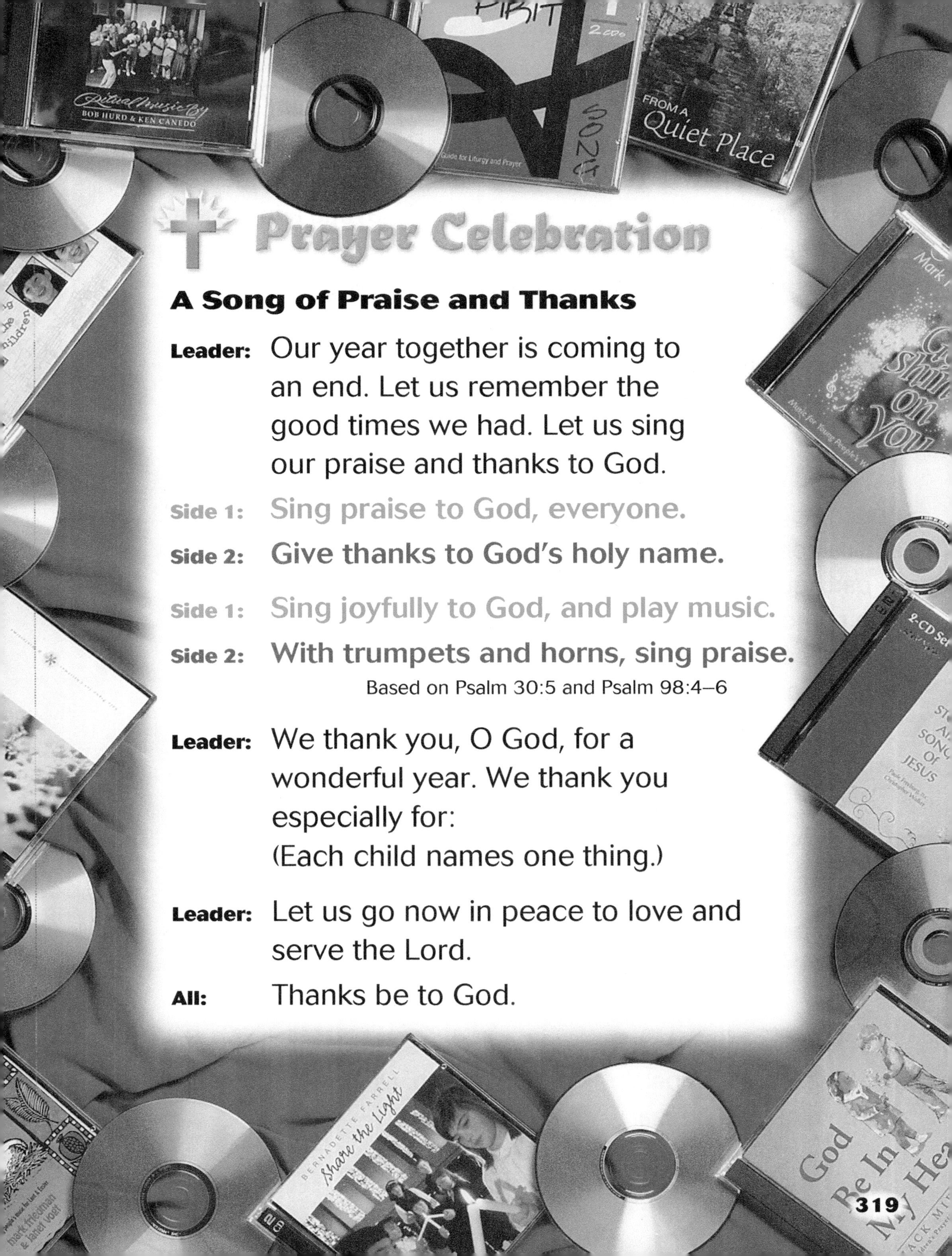

Prayer Celebration

A Song of Praise and Thanks

Leader: Our year together is coming to an end. Let us remember the good times we had. Let us sing our praise and thanks to God.

Side 1: Sing praise to God, everyone.

Side 2: Give thanks to God's holy name.

Side 1: Sing joyfully to God, and play music.

Side 2: With trumpets and horns, sing praise.

Based on Psalm 30:5 and Psalm 98:4–6

Leader: We thank you, O God, for a wonderful year. We thank you especially for:
(Each child names one thing.)

Leader: Let us go now in peace to love and serve the Lord.

All: Thanks be to God.

La fe en acción

Directora musical A las personas de la Parroquia San Juan les encanta cantar. La directora musical elige los himnos que van con las lecturas de la Biblia durante la Misa. Ella ayuda a los miembros del coro a aprender nuevas canciones. Les dice que canten con el corazón. Invita a todos a cantar alabanzas a Dios.

En tu parroquia

Actividad Escribe una nota de agradecimiento al director musical de tu parroquia. Dile cómo te sientes con los cánticos sagrados durante la Misa.

En la vida diaria

Actividad Piensa en tu himno o cántico sagrado preferido. En voz baja, canta las palabras para ti mismo. Di cómo esta canción puede ayudarte a rezar.

Music Director The people in Saint John's Parish love to sing. The music director chooses hymns that go with the Bible readings at Mass. She helps the choir members learn new songs. She tells them to sing from their hearts. She invites everyone to sing praise to God.

Activity Write a thank you note to the music director in your parish. Tell how you feel about the holy songs at Mass.

In Everyday Life

Activity Think about your favorite hymn, or holy song. Very quietly, sing the words to yourself. Tell how this song can help you pray.

DÍAS FESTIVOS Y TIEMPOS

FEASTS AND SEASONS

El año litúrgico

El calendario de la Iglesia Católica está compuesto de tiempos especiales. Las semanas de cada tiempo celebran la vida y las enseñanzas de Jesucristo.

La **Semana Santa** empieza el Domingo de Ramos. Termina con tres días de fiesta que nos recuerdan la Última Cena y que Jesús murió y resucitó a una nueva vida para salvar a todas las personas.

SEMANA SANTA

Nuestro año litúrgico empieza el primer domingo de **Adviento**. Tenemos cuatro semanas para prepararnos para la celebración del nacimiento de Jesús en Navidad.

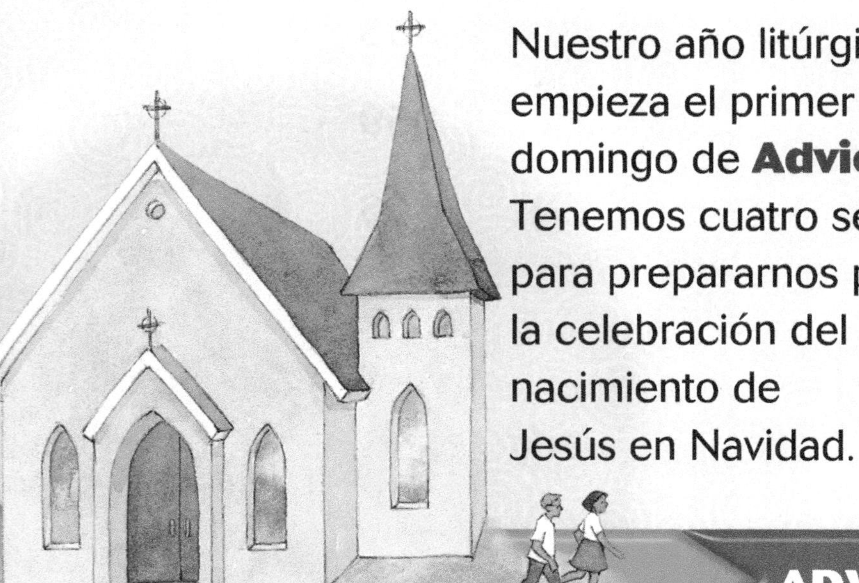

ADVIENTO

ADVIENTO

TIEMPO ORDINARIO

En la segunda parte del **Tiempo Ordinario**, aprendemos más acerca de la vida y de las enseñanzas de Jesús.

El tiempo de **Pascua** es una época de gran alegría. Comienza con el Domingo de Pascua. El tiempo de Pascua dura cincuenta días. Celebramos que Jesús resucitó de entre los muertos. Cantamos "¡Aleluya!".

PASCUA

El tiempo de **Cuaresma** comienza con el Miércoles de Ceniza. Durante la Cuaresma rezamos, renunciamos a las cosas y compartimos lo que tenemos con los demás para prepararnos para la Pascua.

En la primera parte del **Tiempo Ordinario**, aprendemos cómo Jesús comenzó su obra entre las personas.

CUARESMA TIEMPO ORDINARIO

Durante el tiempo de **Navidad**, celebramos que Jesús, el Hijo de Dios, vino a la Tierra para ser nuestro Salvador.

NAVIDAD

The Church Year

The calendar of the Catholic Church is made up of special seasons. The weeks of each season celebrate the life and teachings of Jesus Christ.

Holy Week begins on Palm Sunday. It ends with three holy days that remind us of the Last Supper, and that Jesus died and rose to new life to save all people.

HOLY WEEK

Our church year begins on the first Sunday of **Advent**. We have four weeks to get ready to celebrate Jesus' birthday on Christmas.

ADVENT

The church year begins.

ORDINARY TIME

In the second part of **Ordinary Time**, we learn more about the life and teachings of Jesus.

The **Easter** season is a time of great joy. It begins on Easter Sunday. Easter Time lasts for fifty days. We celebrate that Jesus was raised from the dead. We sing, "Alleluia!"

EASTER

The season of **Lent** begins with Ash Wednesday. During Lent we pray, give up things, and share what we have with others to get ready for Easter.

In the first part of **Ordinary Time**, we learn how Jesus began his work among the people.

ORDINARY TIME

LENT **ORDINARY TIME**

During the **Christmas** season, we celebrate that Jesus, the Son of God, came to earth as our Savior.

CHRISTMAS

Por qué el domingo es un día especial

Nuestra Iglesia celebra el domingo como el día más especial de la semana. En la Misa recordamos que Jesús murió para salvarnos. Recordamos que el Domingo de Pascua resucitó de entre los muertos. Por esta razón, el domingo se llama “el Día del Señor”.

Algunos días de fiesta muy importantes se celebran el domingo. Recordamos momentos especiales de la vida de Jesús. Honramos a María por ser la Madre de Dios. Celebramos la venida del Espíritu Santo.

Como el domingo es el Día del Señor, nos tomamos tiempo para descansar. Pasamos el tiempo con nuestra familia y nuestros amigos. Tratamos de ser serviciales y amables.

Why Sunday Is a Special Day

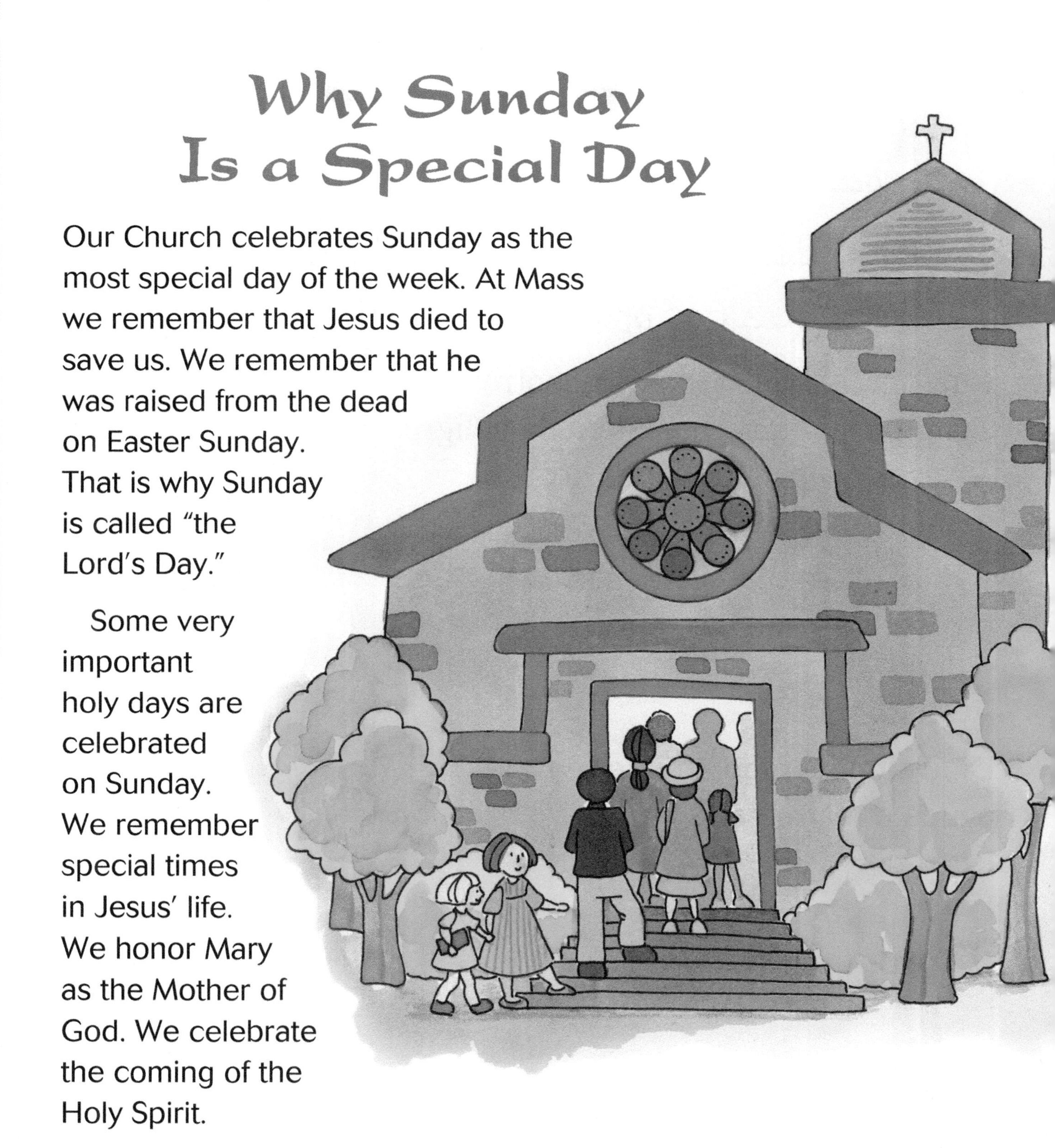

Our Church celebrates Sunday as the most special day of the week. At Mass we remember that Jesus died to save us. We remember that he was raised from the dead on Easter Sunday. That is why Sunday is called "the Lord's Day."

Some very important holy days are celebrated on Sunday. We remember special times in Jesus' life. We honor Mary as the Mother of God. We celebrate the coming of the Holy Spirit.

Because Sunday is the Lord's Day, we take time to relax. We spend time with our family and friends. We try to be helpful and kind.

Los Ángeles de la Guarda

Estoy enviando un ángel delante de ti para que te proteja en el viaje.

Basado en Éxodo 23:20

Personas que nos protegen

Nuestra familia cuida de nosotros. Trata de mantenernos fuera de peligro. A veces necesitamos que otras personas nos protejan y nos guíen.

Habla sobre las personas protectoras que ves.

Actividad

Dibuja cómo alguien que te protege ayuda a mantenerte fuera de peligro.

Guardian Angels

I am sending an angel before you to guard you on the way.

Based on Exodus 23:20

People Who Guard Us

Our family cares for us. They try to keep us safe. Sometimes we need other people to guard us and guide us.

Tell about the guards you see.

Activity

Draw how someone who guards you helps to keep you safe.

Un don especial de Dios

Dios nos da a todos un ángel de la guarda. Los ángeles de la guarda nos protegen y nos guían. Tratan de protegernos del mal.

Puedes rezarle a tu ángel de la guarda. Puedes pedirle a tu ángel que te ayude a hacer buenas elecciones. Puedes rezar para que tu ángel te ayude a hacer lo que Dios quiere.

El 2 de octubre celebramos el día de los Ángeles de la Guarda.

Ángel de la guarda,
eres un don de Dios.
Gracias por cuidarme.
Amén.

A Special Gift from God

God gives every person a guardian angel. Guardian angels protect us and guide us. They try to keep us from harm.

You can pray to your guardian angel. You can ask your angel to help you make good choices. You can pray that your angel will help you do what God wants.

We celebrate the Feast of the Holy Guardian Angels on October 2.

El Adviento

Preparen el camino del Señor.

Basado en Isaías 40:3

¡Bienvenido a nuestra casa!

A veces recibimos huéspedes en nuestra casa. Queremos que nuestros huéspedes estén felices. Así que nos preparamos para recibirlos de una manera especial. Una bienvenida amistosa hace que nuestros huéspedes se sientan especiales.

Actividad

Encierra en un círculo las ilustraciones que muestran algunas de las maneras en que tu familia recibe a los huéspedes.

Advent

Make ready the way of the Lord.

Based on Isaiah 40:3

Welcome to Our Home!

Sometimes we welcome guests to our home. We want our guests to be happy. So we get ready to welcome them in special ways. A friendly welcome makes our guests feel special.

Activity

Circle the pictures that show some of the ways your family welcomes guests.

Tiempo para prepararse

Durante el **Adviento** nos preparamos para recibir a Jesús. Preparamos nuestros corazones. Hacemos cosas por los demás para mostrar que nos preocupamos.

Éstas son algunas maneras en que nuestra Iglesia nos prepara para recibir a Jesús.

Todos los domingos encendemos otra vela en la corona de Adviento.

Leemos relatos de la Biblia acerca de las personas que esperaron a Jesús.

Nos preocupamos por los necesitados.

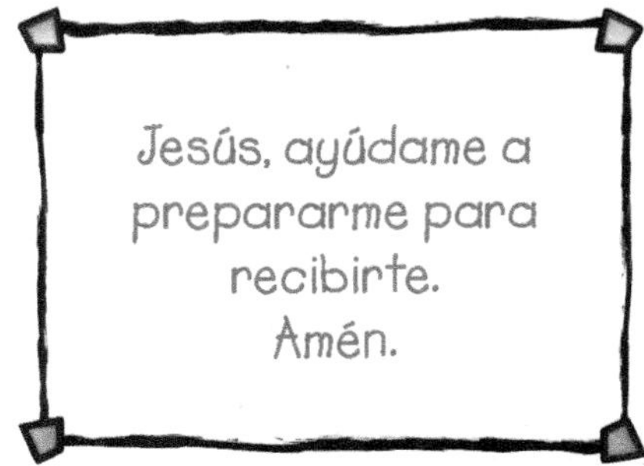

A Time to Get Ready

During **Advent** we get ready to welcome Jesus. We prepare our hearts. We do things for each other to show we care.

These are some of the ways our Church prepares us to welcome Jesus.

Each Sunday we light another candle on the Advent wreath.

We read Bible stories about people who waited for Jesus.

We care for those in need.

Jesus,
help me get ready
to welcome you.
Amen.

San Nicolás

Sé mi seguidor ayudando a los demás.

Basado en Mateo 19:21

Compartir

Cuando eras un bebé, no sabías cómo compartir. Ahora eres más grande. Sabes que es importante compartir con los demás lo que tienes.

Jesús nos pide que compartamos
Hasta cuando es difícil, Jesús nos pide que compartamos lo que tenemos con los demás. San Nicolás hizo lo que Jesús pide. Puedes leer su historia en la próxima página.

Actividad

Dibuja tu juguete favorito.

¿Es fácil compartirlo con los demás? Encierra tu respuesta en un círculo.

Sí **No**

Saint Nicholas

Be my follower by helping others.

Based on Matthew 19:21

Sharing

When you were a baby, you did not know how to share. Now you are older. You know it is important to share what you have with others.

Jesus Asks Us to Share

Even when it is hard, Jesus asks us to share what we have with others. Saint Nicholas did what Jesus asks. You may read his story on the next page.

Activity

Draw your favorite toy.

Is it easy to share it with others?

Circle your answer.

Yes **No**

El Obispo Nicolás

Cuando Nicolás creció, se convirtió en obispo. Vio muchos niños pobres y muchos niños sin familia. Quería encontrar formas de compartir su riqueza.

Durante la noche, cuando todos dormían, el Obispo Nicolás iba a las casas de los niños pobres. Allí, en la entrada, les dejaba regalos de frutas, caramelos y dinero. Luego desaparecía en silencio. ¡No quería que se dieran cuenta!

El Obispo Nicolás fue un seguidor de Jesús. Nicolás compartió lo que tenía con aquellos que tenían muy poco. El 6 de diciembre celebramos el día de San Nicolás.

Bishop Nicholas

When Nicholas grew up, he became a bishop. He saw many poor children and many children without families. He wanted to find ways to share his riches.

At night, when everyone was asleep, Bishop Nicholas went to the homes of poor children. There he left gifts of fruit, candy, and money on their doorsteps. Then he slipped quietly away. He did not want to be noticed!

Bishop Nicholas was a follower of Jesus. Nicholas shared what he had with those who had very little. We celebrate the Feast of Saint Nicholas on December 6.

La Navidad

Me ha enviado el Señor para traerles buenas nuevas.

Basado en Lucas 2:10

Una promesa

"¡Adivina qué! Mi hermano mayor me prometió jugar al fútbol con todos nosotros", dijo Sammy.

Sammy está muy emocionado. Quiere que su hermano cumpla su promesa.

Actividad

Haz un dibujo de una promesa que le hiciste a alguien.

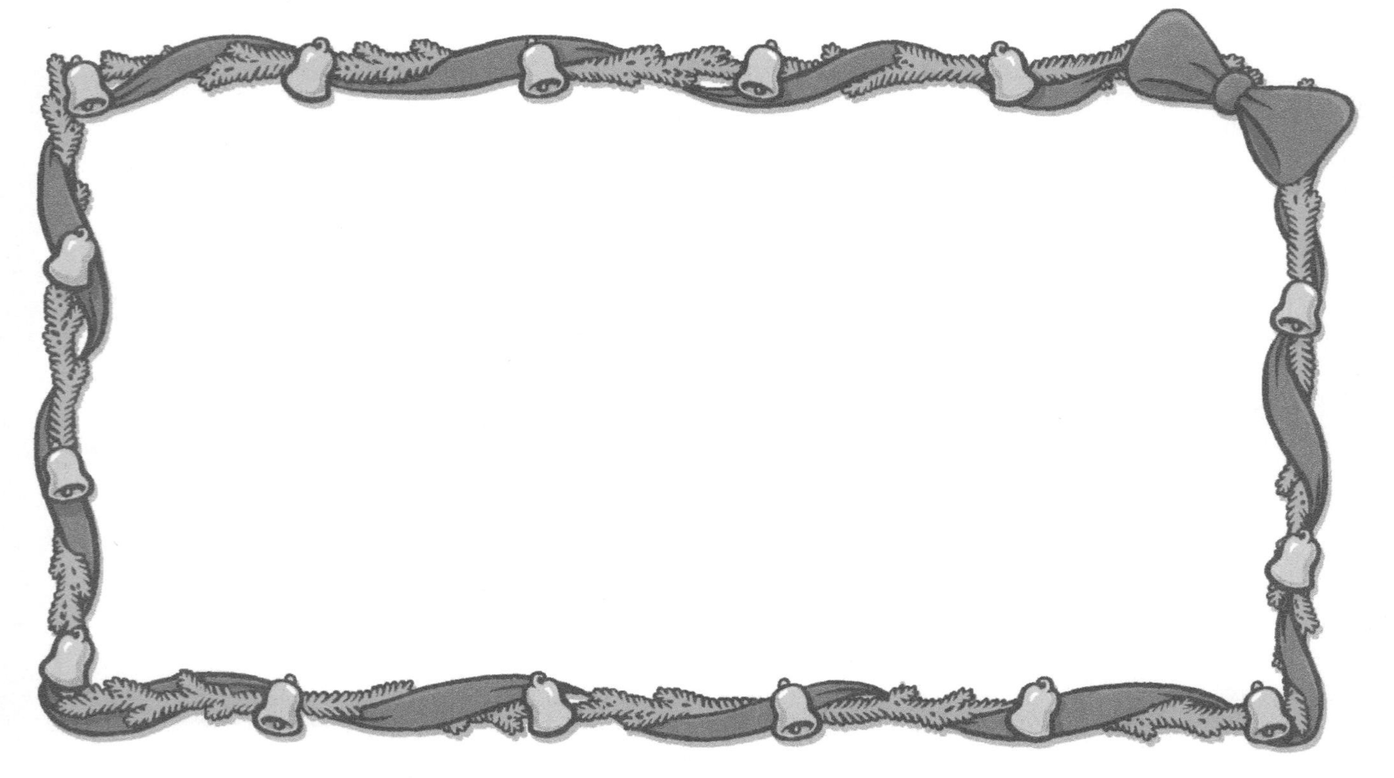

Christmas

I have come from God to bring you good news.

Based on Luke 2:10

"Guess what? My big brother promised to play soccer with all of us," said Sammy.

Sammy is very excited. He wants his brother to keep his promise.

Activity

Draw a picture about a promise that you made to someone.

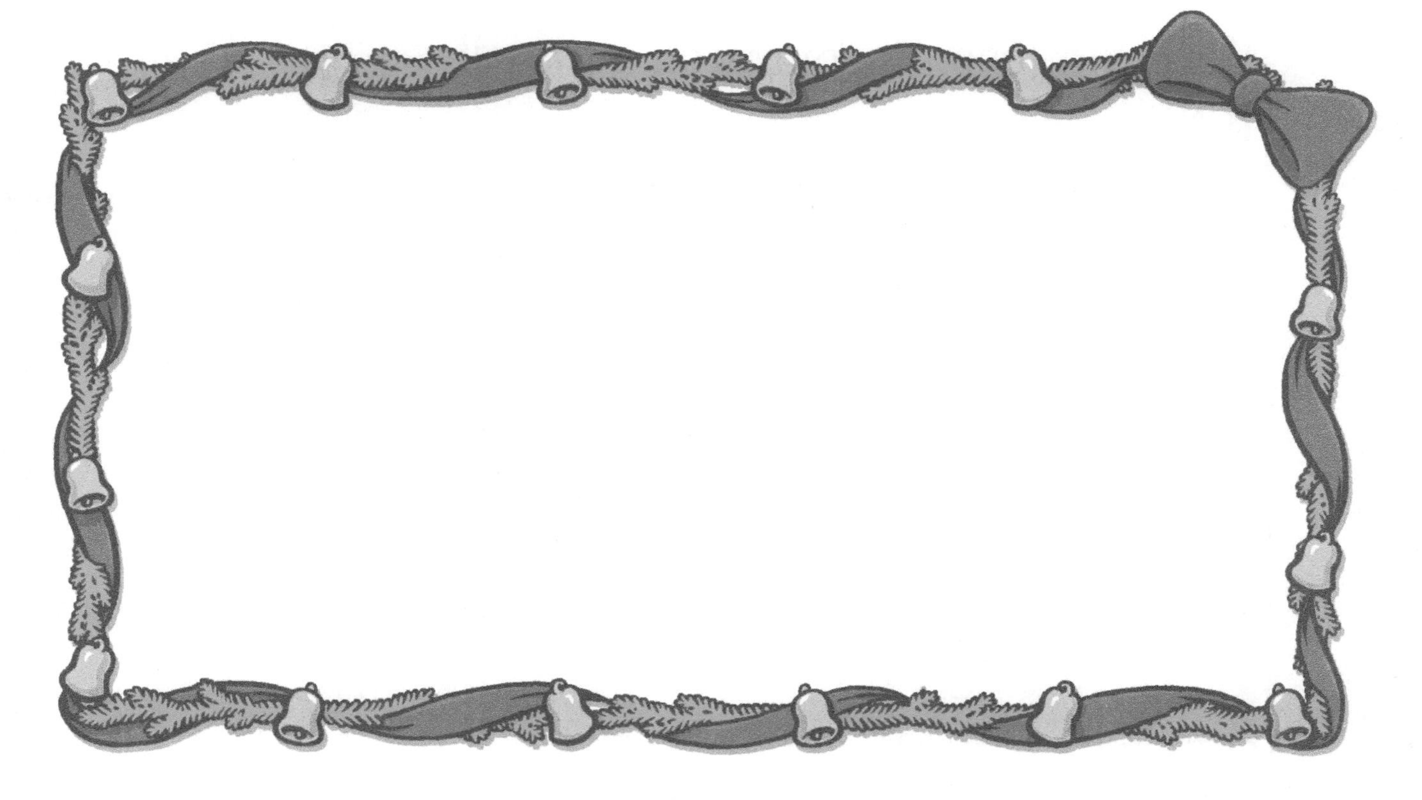

Dios cumple una promesa

En **Navidad** nos reunimos en la Misa. Escuchamos con atención el relato del Evangelio.

Había pastores cerca cuidando de sus ovejas. Apareció un ángel enviado por Dios. El ángel dijo: "No tengan miedo. Me ha enviado el Señor para traerles buenas nuevas. Dios ha cumplido su promesa. Hoy ha nacido Jesús. Lo encontrarán acostado en un pesebre". Los pastores corrieron y encontraron a María y a José. Encontraron al Niño Jesús acostado en un pesebre. Los pastores alabaron a Dios por todo lo que habían visto.

Basado en Lucas 2:8–20

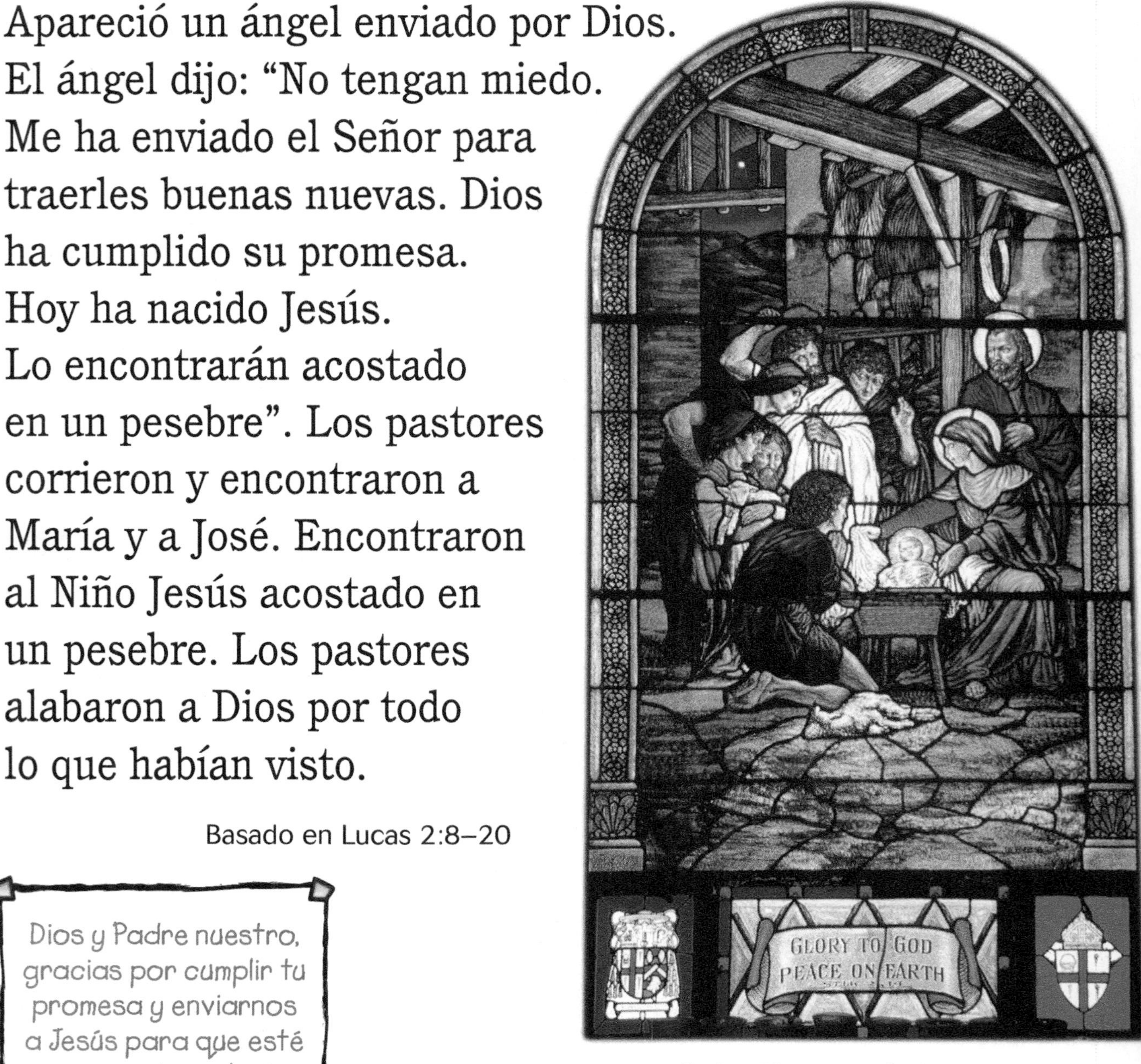

Gloria a Dios, paz en la tierra, Lc. 2:14

Dios y Padre nuestro, gracias por cumplir tu promesa y enviarnos a Jesús para que esté con nosotros. Amén.

God Keeps a Promise

On **Christmas** we gather at Mass. We listen carefully to the Gospel story.

There were shepherds watching their sheep nearby. An angel sent by God appeared. The angel said, "Do not be afraid. I have come from God to bring you good news. God has kept his promise. Today Jesus has been born. You will find him lying in a manger." The shepherds ran and found Mary and Joseph. They found the Baby Jesus lying in a manger. The shepherds praised God for all they had seen.

Based on Luke 2:8–20

God our Father, thank you for keeping your promise and sending Jesus to be with us. Amen.

María, la Madre de Dios

¡Dios te salve María!
Llena eres de la gracia de Dios.

Basado en Lucas 1:28

María cuida de Jesús

Mira con atención las ilustraciones de esta página. Cada ilustración muestra cómo María cuidó de su Hijo, Jesús.

Actividad

Encierra en un círculo la ilustración que más te guste de María cuidando de Jesús. Di por qué te gusta.

Mary, the Mother of God

Hail Mary!
You are full of God's grace.

Based on Luke 1:28

Mary Cares for Jesus

Look carefully at the pictures on this page. Each picture shows how Mary cared for her Son, Jesus.

Activity

Circle the picture of Mary caring for Jesus that you like best. Tell why you like the picture.

Dios eligió a María

Dios eligió a María para que fuera la madre de Jesús. A María la llamamos la Madre de Dios. María es muy especial.

María cuidó de Jesús. Jesús quiere que María también nos ame y nos cuide. Nos la dio para que sea nuestra madre especial. Ella nos ama y nos cuida. María reza por nosotros. Le reza a su Hijo, Jesús.

El 1 de enero celebramos el día de María, la Madre de Dios.

God Chose Mary

God chose Mary to be the mother of Jesus. We call Mary the Mother of God. Mary is very special.

Mary cared for Jesus. Jesus wants Mary to love and care for us, too. He gave her to us as our special mother. She loves us and cares for us. Mary prays for us. She prays to her Son, Jesus.

We celebrate the Solemnity of Mary, the Holy Mother of God on January 1.

La Cuaresma y los seguidores de Jesús

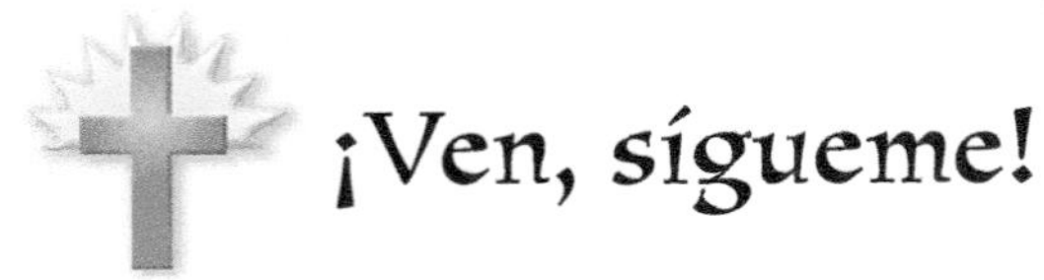

¡Ven, sígueme!

Basado en Juan 1:43

Más como Jesús

Todos los días tratamos de hacer lo que Jesús haría. Para ser seguidores de Jesús, estamos llamados a vivir como Jesús nos enseñó. Estamos llamados a amar y cuidar de los demás.

Actividad

Eres un seguidor de Jesús. Dibújate en la ilustración con otros seguidores de Jesús.

Lent: Followers of Jesus

Come, follow me!

Based on John 1:43

More like Jesus

Every day we try to do what Jesus would do. To be followers of Jesus, we are called to live as Jesus showed us. We are called to love and care for each other.

Activity

You are a follower of Jesus. Draw yourself in the picture with the other followers of Jesus.

Cuarenta días

La Cuaresma dura cuarenta días. Durante estos cuarenta días nos preparamos para celebrar la Pascua. Tratamos de recordar cómo llegar a ser más como Jesús.

¿Qué podemos hacer?

Hay muchas cosas que podemos hacer durante la Cuaresma para llegar a ser más como Jesús. Podemos hacer algunas cosas con la comunidad de nuestra parroquia. Podemos hacer otras cosas nosotros solos.

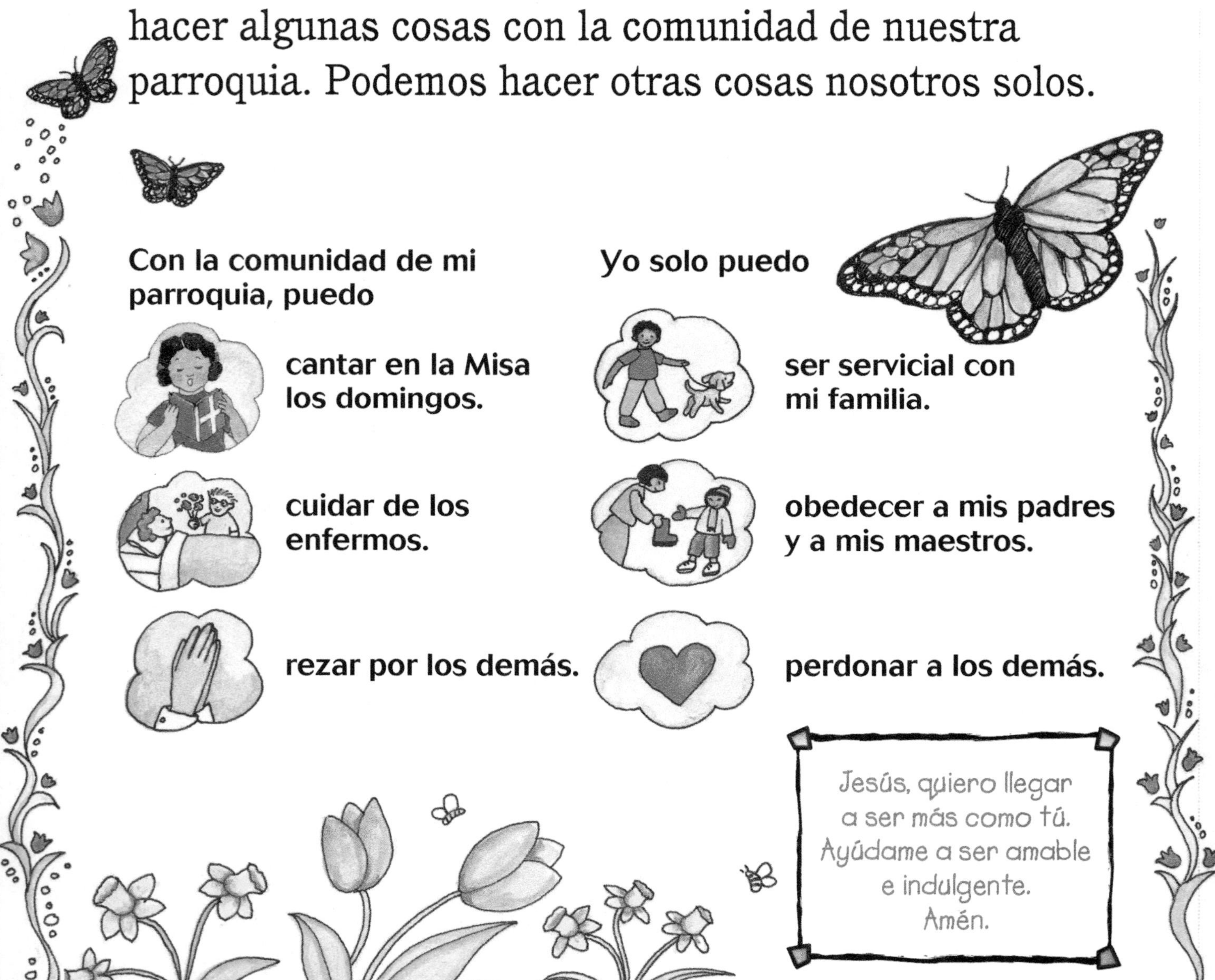

Con la comunidad de mi parroquia, puedo

cantar en la Misa los domingos.

cuidar de los enfermos.

rezar por los demás.

Yo solo puedo

ser servicial con mi familia.

obedecer a mis padres y a mis maestros.

perdonar a los demás.

Jesús, quiero llegar
a ser más como tú.
Ayúdame a ser amable
e indulgente.
Amén.

Forty Days

Lent lasts for forty days. During these forty days we get ready to celebrate Easter. We try to remember to become more like Jesus.

What Can We Do?

There are many things we can do during Lent to become more like Jesus. We can do some things with our parish community. We can do other things by ourselves.

With my parish community, I can

sing at Mass on Sunday.

care for the sick.

pray for others.

By myself, I can

be helpful to my family.

obey my parents and teachers.

forgive others.

Jesus, I want to be more like you. Help me to be kind and forgiving. Amen.

Semana Santa

¡Bendito el que viene como nuestro rey!

Basado en Lucas 19:38

Domingo de Ramos

El primer día de la Semana Santa se llama Domingo de Ramos. Es el domingo antes de la Pascua. Recordamos cómo Jesús entró a Jerusalén.

Tres días de Semana Santa

La Semana Santa termina con tres días de fiesta: el Jueves Santo, el Viernes Santo y el Sábado Santo. Durante estos días, nos reunimos en la iglesia. Recordamos cómo Jesús mostró su amor por nosotros.

Actividad

Lee el siguiente relato.
Usa las ilustraciones como ayuda.

Las palmas son ramas de  .

Las palmeras crecen en los lugares calurosos y .

Un día, una multitud de vitorearon y agitaron palmas.

Las personas estaban felices de ver a  .

Hicieron un gran desfile para honrar a Jesús.

Holy Week

Blessed is he who comes as our king!

Based on Luke 19:38

Palm Sunday

The first day of Holy Week is called Palm Sunday. It is the Sunday before Easter. We remember how Jesus came into Jerusalem.

Activity

Read the story below.
Use the pictures to help you.

Palms are branches of  .

Palm trees grow in hot,  places.

One day a crowd of  cheered and waved palms.

The people were happy to see  .

They had a great parade to honor Jesus.

Three Holy Days

Holy Week ends with three holy days. They are Holy Thursday, Good Friday, and Holy Saturday. On these days, we gather at church. We remember how Jesus showed his love for us.

Misa del Domingo de Ramos

En la Misa del Domingo de Ramos, sostenemos ramos de palmas. Escuchamos el relato del Evangelio acerca de cuando Jesús entró en la ciudad de Jerusalén. Escuchamos cómo la alegre multitud le da la bienvenida a Jesús al grito de "¡Hosanna!".

Entramos a la iglesia con el sacerdote y con la comunidad de nuestra parroquia. Al igual que las personas de Jerusalén, decimos: "¡Bendito el que viene como nuestro rey!" (basado en Lucas 19:38).

Después de la Misa, nos llevamos nuestros ramos de palmas a casa. Le damos la bienvenida a Jesús en nuestros corazones y en nuestros hogares.

Palm Sunday Mass

At Mass on Palm Sunday, we hold palm branches. We listen to the Gospel story about Jesus going into the city of Jerusalem. We hear how the joyful crowd welcomes Jesus by shouting, "Hosanna!"

We walk into church with the priest and our parish community. Like the people of Jerusalem, we say, "Blessed is he who comes as our king!" (based on Luke 19:38).

After Mass we take our palm branches home. We welcome Jesus into our hearts and homes.

Lord Jesus, we shout "Hosanna!" We welcome you as our king. Amen.

Pascua

He visto al Señor. ¡Está vivo!

Basado en Juan 20:18

Señales de primavera

Imagina que es un domingo por la tarde. Estás caminando con tu familia. El sol brilla. La brisa es cálida. El aire es fresco y limpio. Ves muchas señales de nueva vida. Estás muy feliz de que haya llegado la primavera.

Actividad

Mira la ilustración. Encierra en un círculo las señales de nueva vida que veas.

Easter

I have seen the Lord. He is alive!

Based on John 20:18

Signs of Spring

Imagine that it is Sunday afternoon. You are taking a walk with your family. The sun is shining. The breeze feels warm. The air smells fresh and clean. You see many signs of new life. You are very happy that spring is here.

Activity

Look at the picture. Circle the signs of new life that you see.

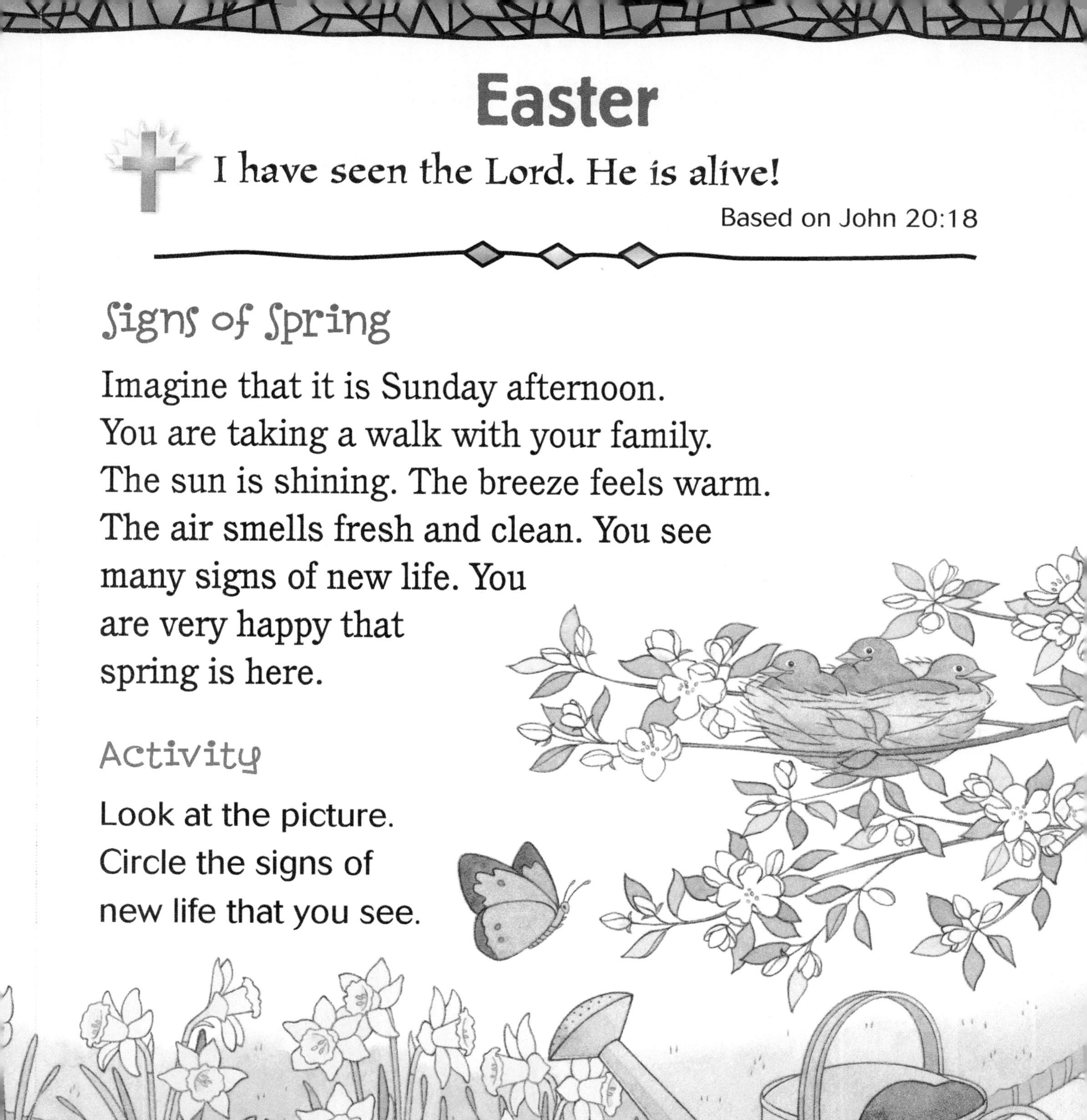

¡Jesús está vivo!

Jesús murió en una cruz. Sus seguidores estaban muy tristes. Tuvieron miedo y se sintieron solos. Extrañaban mucho a Jesús. Tres días más tarde, Dios resucitó a Jesús de entre los muertos. Dios le dio a Jesús el don de la nueva vida. Los amigos de Jesús estaban llenos de alegría. Jesús Resucitado estaba de nuevo con ellos. Ellos le agradecieron a Dios por resucitar a Jesús a una nueva vida.

Celebramos la Pascua

La Pascua es nuestra celebración más importante. Celebramos la nueva vida de Jesús. Creemos que compartiremos una nueva vida con Jesús por siempre. El Domingo de Pascua vamos a Misa. Cantamos canciones alegres. Rezamos oraciones alegres. Decimos "Aleluya".

Jesus Is Alive!

Jesus died on a cross. His followers were very sad. They felt scared and all alone. They missed Jesus very much. Three days later God raised Jesus from the dead. God gave Jesus the gift of new life. Jesus' friends were filled with joy. The Risen Jesus was with them again. They thanked God for raising Jesus to new life.

We Celebrate Easter

Easter is our greatest feast. We celebrate Jesus' new life. We believe that we will share new life with Jesus forever. On Easter Sunday we go to Mass. We sing joyful songs. We pray joyful prayers. We say, "Alleluia."

Risen Jesus,
help us share in your
new life. Alleluia!
Amen.

Los santos

Todo lo que hacen para ayudar a otra persona, me lo hacen a mí.

Basado en Mateo 25:40

Ayudar a los demás

Dios hizo especial a cada persona. Jesús nos dice que nos ayudemos los unos a los otros. Los niños pueden ayudar de muchas maneras.

Actividad

Encierra en un círculo las ilustraciones que muestran a un niño ayudando a alguien.

Holy People

Whatever you do to help another person, you do to me.

Based on Matthew 25:40

Helping Others

God made each person special. Jesus tells us to help one another. Children can help in many ways.

Activity

Circle the pictures that show a child helping someone.

Misioneras de la Caridad

Beata Madre Teresa pasó la mayor parte de su vida ayudando a los pobres y a los enfermos de la India. Vio a Cristo en cada persona que conoció. En el camino, se le unieron muchas mujeres. Se convirtieron en hermanas religiosas llamadas Misioneras de la Caridad.

Obispos de todo el mundo les pedían a estas hermanas que fueran a sus países. Ahora las Misioneras de la Caridad hacen su trabajo santo en muchos lugares. Le dan el amor de Cristo a cada persona que conocen.

Jesús, quiero ayudar a las personas. Ayúdame a verte en cada persona que necesita mi ayuda.
Amén.

Missionaries of Charity

Blessed Mother Teresa spent most of her life helping poor and sick people in India. She saw Christ in each person that she met. Along the way, many women joined her. They became religious sisters called Missionaries of Charity.

Bishops around the world asked these sisters to come to their countries. Now the Missionaries of Charity do their holy work in many places. They bring the love of Christ to each person they meet.

Jesus, I want to help people. Help me see you in each person that needs my help. Amen.

NUESTRA HERENCIA CATÓLICA

EN QUÉ CREEMOS LOS CATÓLICOS

Podemos aprender acerca de nuestra fe a partir de la Biblia y de las enseñanzas de la Iglesia.

ACERCA DE LA BIBLIA

La Biblia es un libro especial acerca de Dios. Algunos relatos de la Biblia cuentan cómo Dios ama y cuida de las personas. Otros relatos cuentan acerca de Jesús y de sus seguidores.

Dios eligió a muchas personas para escribir la Biblia. Creemos que la Biblia es la Palabra de Dios.

Puedes aprender más sobre la Biblia en las páginas 7 a 10 y en el Capítulo 3.

ACERCA DE LA TRINIDAD

Creemos que sólo hay un Dios. Creemos en un Dios en tres Personas. Las tres Personas son: Dios Padre, Dios Hijo y Dios Espíritu Santo. Llamamos **Santísima Trinidad** a las tres Personas.

OUR CATHOLIC HERITAGE

WHAT CATHOLICS BELIEVE

We can learn about our faith from the Bible and from the teachings of the Church.

ABOUT THE BIBLE

The Bible is a special book about God. Some stories in the Bible tell how God loves and cares for people. Other stories tell about Jesus and his followers.

God chose many people to write the Bible. We believe that the Bible is the Word of God.

You can learn more about the Bible on pages 7–11 and in Chapter 3.

ABOUT THE TRINITY

We believe that there is only one God. We believe that one God is in three Persons. The three Persons are God the Father, God the Son, and God the Holy Spirit. We call the three Persons the **Holy Trinity**.

Creemos en Dios Padre

Dios Padre creó el mundo. Él nos creó a todos nosotros. Todo lo que Dios hizo muestra su amor.

Somos hijos de Dios. Como un padre amoroso, Dios cuida de nosotros. Quiere que nosotros cuidemos el mundo. Dios quiere que cuidemos el uno del otro.

Creemos en Dios Hijo

El Hijo de Dios Padre se hizo hombre. Su nombre es Jesús. Vivió en la Tierra para enseñarnos cómo amarnos unos a otros y a su Padre.

Jesús murió en la cruz y resucitó de entre los muertos. Él nos salvó del pecado. Jesucristo es nuestro Salvador.

Creemos en Dios Espíritu Santo

El Espíritu Santo es Dios. Es el don del amor de Dios Padre y de Dios Hijo. El Espíritu Santo está siempre con nosotros.

El Espíritu Santo nos da la gracia para ayudarnos a seguir a Jesús. La gracia es la presencia amorosa de Dios en nuestra vida.

We Believe in God the Father

God the Father created the world. He created all of us. Everything God made shows his love.

We are God's children. Like a loving father, God watches over us. He wants us to take care of the world. God wants us to care for each other.

We Believe in God the Son

The Son of God the Father became man. His name is Jesus. He lived on earth to teach us how to love his Father and one another.

Jesus died on the cross and rose from the dead. He saved us from sin. Jesus Christ is our Savior.

We Believe in God the Holy Spirit

The Holy Spirit is God. He is the gift of the love of God the Father and God the Son. The Holy Spirit is always with us.

The Holy Spirit gives us grace to help us follow Jesus. Grace is God's loving presence in our lives.

ACERCA DE
UNA VISITA A LA IGLESIA

Una iglesia católica es un lugar muy especial para visitar.

Vamos a la iglesia para venerar a Dios. Vamos a la iglesia para celebrar la Misa con la comunidad de nuestra parroquia.

Mira la fotografía. Muestra algunas cosas que podemos ver en nuestra iglesia parroquial.

ABOUT
A VISIT TO CHURCH

A Catholic church is a very special place to visit.

We go to church to worship God. We go to church to celebrate Mass with our parish community.

Look at the picture. It shows some things that we can see in our parish church.

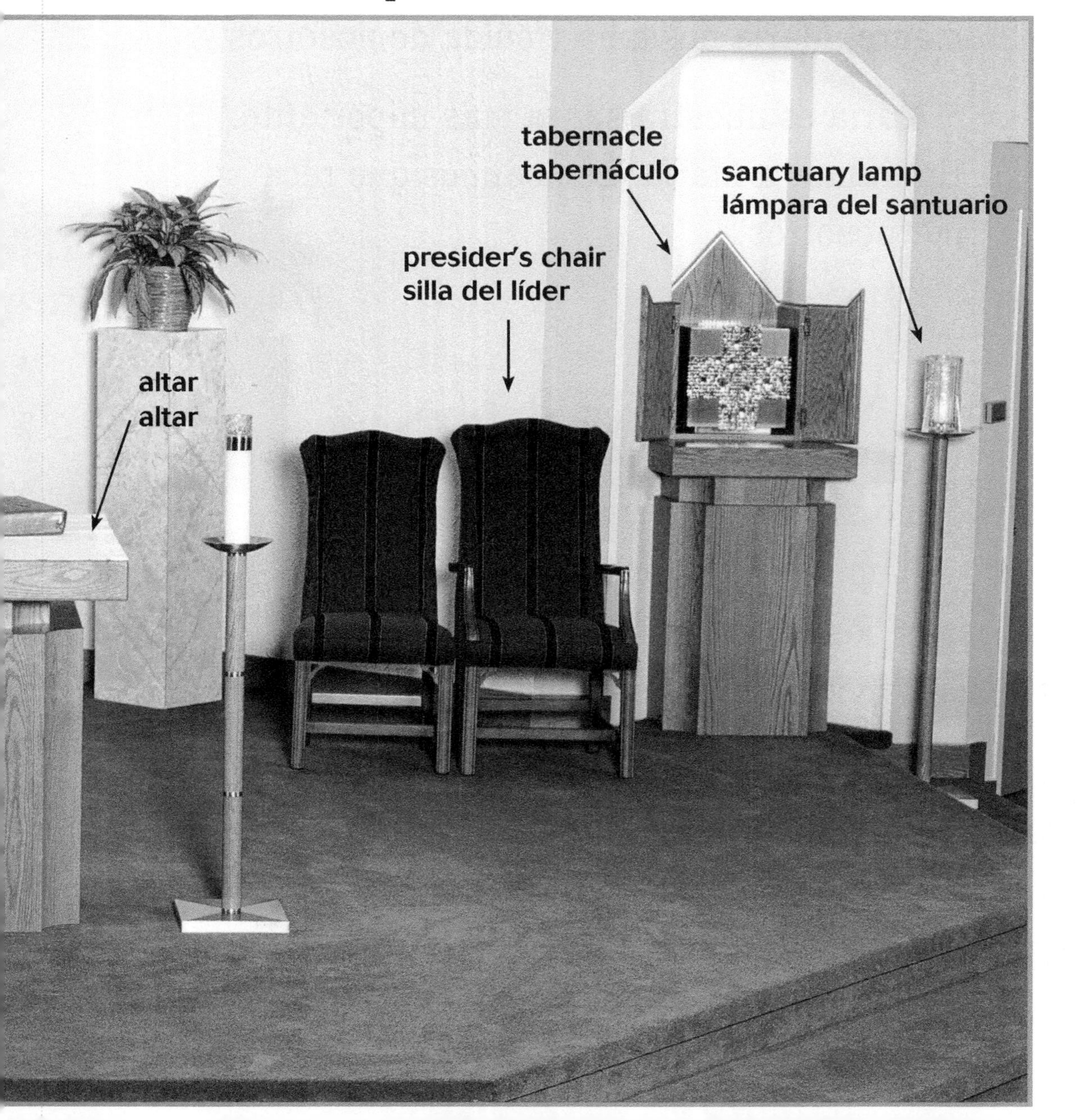

ACERCA DE MARÍA

María fue buena y santa. Dios eligió a María para que fuera la madre de su Hijo, Jesús.

María amó a Dios y confió en Él. Amó y cuidó de Jesús.

También es nuestra madre. Como una buena madre, María nos ama y cuida de nosotros.

María es nuestra **santa** más importante. Honramos a María. Le pedimos que rece por nosotros.

ACERCA DE LA NUEVA VIDA ETERNA

Jesús nos enseña cómo amar a Dios y a los demás. Jesús dice que si actuamos con amor, tendremos una nueva vida. Jesús nos promete que si amamos a Dios y a los demás, viviremos por siempre.

Después de morir, estaremos con Jesús, con María y con todas las personas buenas y santas que hayan vivido alguna vez. La felicidad con Dios por siempre se llama cielo.

ABOUT MARY

Mary was good and holy. God chose Mary to be the mother of his Son, Jesus.

Mary loved and trusted God. She loved and cared for Jesus.

Mary is our mother, too. Like a good mother, Mary loves and cares for us.

Mary is our greatest **saint**. We honor Mary. We ask her to pray for us.

ABOUT NEW LIFE FOREVER

Jesus teaches us how to love God and others. Jesus says that if we act with love, we will have new life. Jesus promises that if we love God and others, we will live forever.

When we die, we will be with Jesus, Mary, and all the good and holy people who ever lived. Happiness with God forever is called heaven.

CÓMO PRACTICAMOS EL CULTO LOS CATÓLICOS

Practicar el culto es honrar y alabar a Dios. Practicamos el culto cuando rezamos y cuando celebramos los sacramentos.

ACERCA DE LOS SACRAMENTOS

Los sacramentos son celebraciones del amor de Dios por nosotros. Celebramos que somos seguidores de Jesucristo. Celebramos que participamos de su nueva vida.

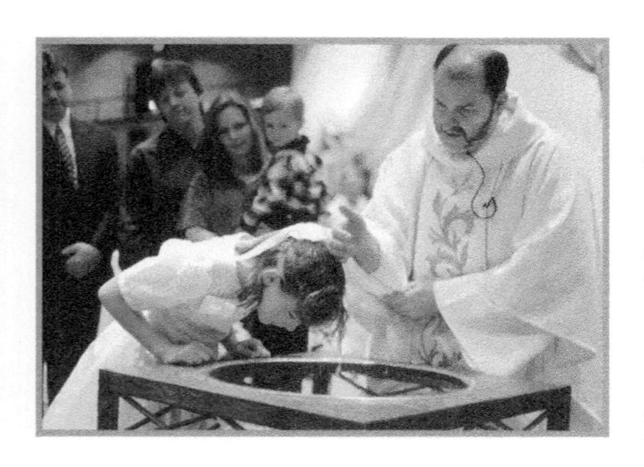

El **Bautismo** es el sacramento de bienvenida a la Iglesia. Por el Bautismo, nos convertimos en hijos de Dios. El agua del Bautismo lava todos los pecados y nos llena de la gracia de Dios.

La **Confirmación** es el sacramento por el que el Espíritu Santo fortalece nuestra fe en Jesucristo. El Espíritu Santo nos ayuda a compartir la Buena Nueva de Jesús.

HOW CATHOLICS WORSHIP

Worship is giving honor and praise to God. We worship when we pray and when we celebrate the sacraments.

ABOUT THE SACRAMENTS

The sacraments are celebrations of God's love for us. We celebrate that we are followers of Jesus Christ. We celebrate that we share in his new life.

Baptism is the sacrament of welcome into the Church. At Baptism, we become children of God. The water of Baptism washes away all sin and fills us with God's grace.

Confirmation is the sacrament in which the Holy Spirit makes our faith in Christ stronger. The Holy Spirit helps us share the Good News of Jesus.

La **Eucaristía** es el sacramento por el que Jesucristo se comparte a sí mismo con nosotros. Recibimos el Cuerpo y la Sangre de Cristo.

La **Reconciliación** es el sacramento del perdón. Decimos que nos arrepentimos de nuestros pecados. Celebramos el perdón de Dios.

La **Unción de los Enfermos** es el sacramento que da la paz de Jesús a los enfermos.

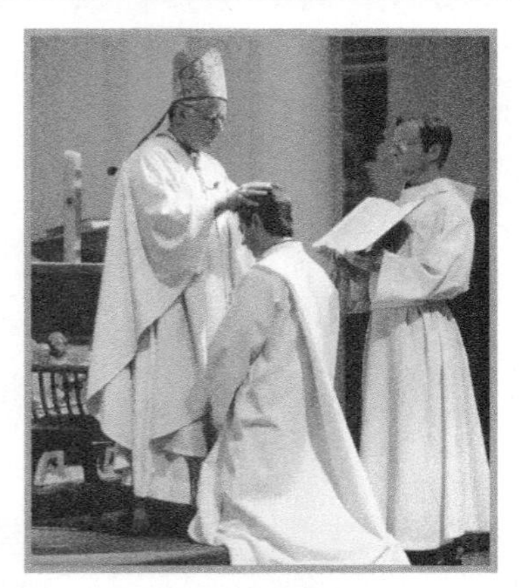

El **Orden Sagrado** es el sacramento que celebra la misión de los diáconos, de los sacerdotes y de los obispos. Estos hombres son llamados a servir al pueblo de Dios de una manera especial.

El **Matrimonio** es el sacramento que celebra el amor mutuo entre un hombre y una mujer. Prometen ser fieles. Están listos para empezar su vida de familia.

Eucharist is the sacrament in which Jesus Christ shares himself with us. We receive the Body and Blood of Christ.

Reconciliation is the sacrament of forgiveness. We say that we are sorry for our sins. We celebrate God's forgiveness.

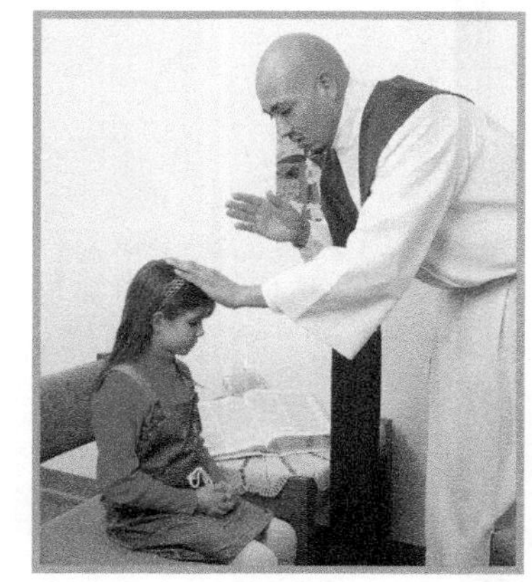

Anointing of the Sick is the sacrament that brings the peace of Jesus to people who are sick.

Holy Orders is the sacrament that celebrates the mission of deacons, priests, and bishops. These men are called to serve God's people in a special way.

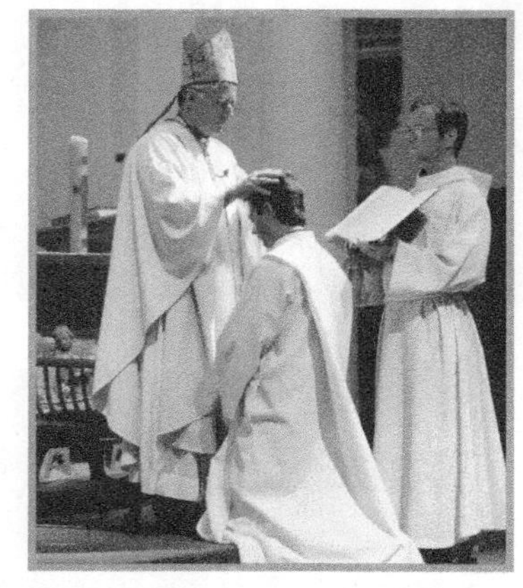

Matrimony is the sacrament that celebrates the love of a man and a woman for each other. They promise to be faithful. They are ready to begin their family life.

ACERCA DE LA MISA

1. Comienza nuestra celebración. El sacerdote y los demás ministros van al altar. Nos ponemos de pie y cantamos un canto de bienvenida.

2. Hacemos la Señal de la Cruz. El sacerdote nos da la bienvenida con estas palabras: “El Señor esté con vosotros”.

3. Recordamos nuestros pecados. Le pedimos a Dios que nos perdone.

4. Escuchamos la Palabra de Dios en los relatos de la Biblia. Después de cada uno de los dos primeros relatos, decimos: “Te alabamos, Señor”.

ABOUT
THE MASS

1. Our celebration begins. The priest and other ministers go to the altar. We stand and sing a welcome song.

2. We make the Sign of the Cross. The priest welcomes us with these words: "The Lord be with you."

3. We remember our sins. We ask God to forgive us.

4. We listen to the Word of God in readings from the Bible. After each of the first two readings we say, "Thanks be to God."

5. El sacerdote o el diácono lee el relato del Evangelio. La palabra *Evangelio* significa "buena nueva". Nos ponemos de pie y escuchamos el relato de la Buena Nueva de Jesús. Decimos: "Gloria a ti, Señor Jesús".

6. El sacerdote o el diácono nos ayuda a comprender el mensaje de Jesús en una charla especial que se llama homilía.

7. Durante la Oración de los Fieles, le pedimos a Dios que ayude a la Iglesia, a nuestro país y a todo el pueblo de Dios.

8. Llevamos al altar los dones del pan y del vino para la comida especial con Jesús. Recordamos que Jesús siempre nos ama.

5. The priest or deacon reads the Gospel story. The word gospel means "good news." We stand and listen to the Good News story of Jesus. We say, "Praise to you, Lord Jesus Christ."

6. The priest or deacon helps us understand Jesus' message in a special talk called the homily.

7. In the Prayer of the Faithful, we ask God to help the Church, our country, and all of God's people.

8. We bring the gifts of bread and wine to the altar for the special meal with Jesus. We remember that Jesus always loves us.

9. El sacerdote bendice a Dios y le ofrece nuestros dones de pan y de vino. Decimos: “Bendito seas por siempre, Señor”.

10. Agradecemos y alabamos a Dios por todas nuestras bendiciones. Agradecemos especialmente a Dios por el don de Jesús.

11. El sacerdote reza como lo hizo Jesús en la Última Cena. Nuestros dones del pan y del vino se convierten en el Cuerpo y la Sangre de Jesucristo.

12. El sacerdote sostiene en alto el Cuerpo y la Sangre de Jesús. Dice una oración para alabar a Dios. Respondemos: “Amén”.

9. The priest blesses God and offers him our gifts of bread and wine. We say, "Blessed be God for ever."

10. We thank and praise God for all of our blessings. We especially thank God for the gift of Jesus.

11. The priest prays as Jesus did at the Last Supper. Our gifts of bread and wine become the Body and Blood of Jesus Christ.

12. The priest holds up the Body and Blood of Jesus. He says a prayer to praise God. We answer, "Amen."

13. Decimos el "Padre Nuestro". Ésta es la oración que Jesús nos enseñó a decir.

14. Nos damos unos a otros la Señal de la Paz. Ésta es una señal que nos recuerda que debemos vivir como Jesús nos enseñó.

15. Recibimos a Jesús en la Eucaristía. Compartir el Cuerpo y la Sangre de Jesús de una manera especial significa que estamos prometiendo seguir a Jesús.

16. Recibimos la bendición de Dios. Respondemos: "Amén". Cantamos un canto de alabanza. Nos vamos en paz para amarnos y servirnos unos a otros y a Dios.

13. We say the "Lord's Prayer." This is the prayer that Jesus taught us to say.

14. We offer one another a Sign of Peace. This is a sign that reminds us to live as Jesus teaches us to live.

15. We receive Jesus in the Eucharist. Sharing Jesus' Body and Blood in a special way means that we are promising to follow Jesus.

16. We receive God's blessing. We answer, "Amen." We sing a song of praise. We go in peace to love and serve God and one another.

CÓMO VIVIMOS LOS CATÓLICOS

Jesús nos enseña cómo vivir. Él nos da el Espíritu Santo y la Iglesia para ayudarnos.

ACERCA DEL
GRAN MANDAMIENTO

Las leyes de Dios son, en realidad, un Gran Mandamiento. Jesús dijo: "Debes amar a Dios sobre todas las cosas y amar al prójimo como a ti mismo" (basado en Marcos 12:30–31). El Gran Mandamiento nos dice cómo amar a Dios y a los demás.

ACERCA DEL
NUEVO MANDAMIENTO

Jesús nos dio un Nuevo Mandamiento. Dijo: "Ámense los unos a los otros como yo los he amado" (basado en Juan 13:34). Mostramos nuestro amor por los demás cuando somos serviciales y caritativos.

HOW CATHOLICS LIVE

Jesus teaches us how to live. He gives us the Holy Spirit and the Church to help us.

ABOUT
THE GREAT COMMANDMENT

God's laws are really one Great Commandment. Jesus said, "You must love God above all things and love your neighbor as yourself" (based on Mark 12:30–31). The Great Commandment tells us how to love God and other people.

ABOUT
THE NEW COMMANDMENT

Jesus gave us a New Commandment. He said, "Love one another as I have loved you" (based on John 13:34). We show our love for others when we are helpful and kind.

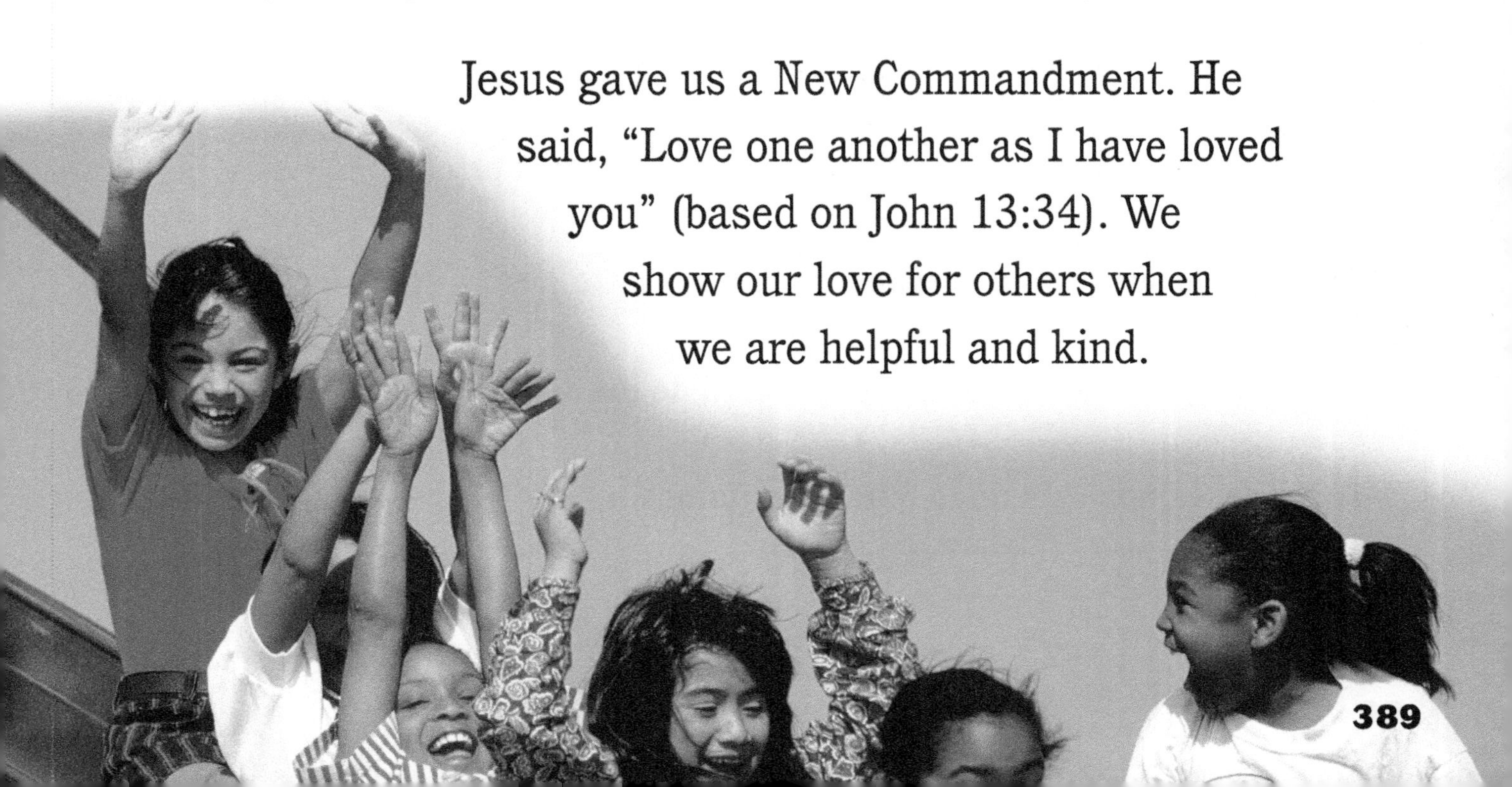

ACERCA DE

LOS DIEZ MANDAMIENTOS

Vivimos la Ley de Dios

Mostramos nuestro amor por Dios.

1. Creemos en Dios y lo amamos.
2. Usamos el nombre de Dios con amor.
3. Rezamos con la comunidad de nuestra parroquia en la Misa. Guardamos el santo Día del Señor.

Mostramos nuestro amor por nuestro prójimo.

4. Obedecemos a nuestros padres y a quienes nos cuidan.
5. Cuidamos de todas las cosas que tienen vida.
6. Respetamos nuestro cuerpo y el cuerpo de los demás.
7. Respetamos lo que nos dan y lo que pertenece a otros.
8. Decimos siempre la verdad.
9. Nos alegramos mucho de la felicidad de los demás.
10. No deseamos más de lo que necesitamos.

ABOUT
THE TEN COMMANDMENTS

We Live God's Law

We show our love for God.

1. We believe in God and love God.
2. We use God's name with love.
3. We pray with our parish community at Mass. We keep the Lord's Day holy.

We show our love for our neighbor.

4. We obey our parents and those who care for us.
5. We care for all living things.
6. We respect our bodies and the bodies of others.
7. We respect what is given to us and what belongs to others.
8. We always tell the truth.
9. We rejoice in the happiness of others.
10. We do not want more than we need.

ACERCA DEL PECADO Y DEL PERDÓN

Pecar es elegir hacer algo que sabemos que está mal. Pecar es apartarse de Dios. Pecar daña nuestra amistad con los demás.

Sabemos que Dios nos ama. Sabemos que está siempre dispuesto a perdonarnos. Dios quiere que nos arrepintamos de nuestros pecados. Quiere que prometamos hacer lo mejor. Podemos pedirle al Espíritu Santo que nos ayude.

Querido Dios:
Estoy arrepentido de lo que hice mal. Trataré de hacerlo mejor. Amaré y cuidaré de los demás. Por favor, envía al Espíritu Santo para que me ayude. Amén.

Jesús nos enseña a amar y a cuidar de los demás. A veces los demás nos hacen cosas que están mal. Debemos siempre estar dispuestos a perdonarlos. Podemos decir: "Te perdono".

ABOUT
SIN AND FORGIVENESS

Sin is a choice to do something that we know is wrong. Sin is turning away from God. Sin hurts our friendship with people.

We know that God loves us. We know that he is always ready to forgive us. God wants us to be sorry for our sins. He wants us to promise to do better. We can ask the Holy Spirit to help us.

✝ **Dear God,**
I am sorry for what I did wrong. I will try to do better. I will love and care for others. Please send the Holy Spirit to help me. Amen.

Jesus teaches us to love and care for others. Sometimes people do wrong things to us. We should always be ready to forgive them. We can say, "I forgive you."

En el Bautismo, nos convertimos en miembros de la Iglesia Católica. Dios nos llama a cada uno para que vivamos nuestra vida de una manera especial. Esto se llama vocación.

Vocaciones religiosas

Dios llama a algunas personas para una vida especial de servicio en la Iglesia. El llamado para ser sacerdote, diácono y hermana o hermano religiosos se llama vocación religiosa.

Muchos sacerdotes sirven a la Iglesia como líderes de las comunidades parroquiales. Otros enseñan a los pobres o trabajan con ellos.

Los diáconos ayudan a los sacerdotes en las parroquias. Llevan a cabo las celebraciones del Bautismo y del Matrimonio. En la Misa, les enseñan a las personas acerca de los relatos de la Biblia. Los diáconos visitan a los enfermos y rezan con los familiares de las personas que han muerto.

Muchos hermanos y hermanas religiosos sirven en las parroquias. Algunos trabajan en escuelas y en hospitales. Otros comparten la Buena Nueva de Jesús con los pobres de todo el mundo.

Recemos para que más hombres y mujeres respondan al llamado de Dios para una vocación religiosa.

About Vocations

We become members of the Catholic Church at Baptism. God calls us to love him and serve him in a special way. This is called our vocation.

Religious Vocations

God calls some people to a special life of service in the Church. The call to be a priest, deacon, and religious sister or brother is called a religious vocation.

Many priests serve the Church by being leaders of parish communities. Others teach or work with poor people.

Deacons help the priests in parishes. They lead celebrations of Baptism and marriage. At Mass, they teach people about the Bible readings. Deacons visit the sick and pray with families of people who have died.

Let us pray that more men and women will answer God's call to a religious vocation.

Many religious sisters and brothers serve in parishes. Some work in schools and hospitals. Others share the Good News of Jesus with poor people all over the world.

Otros llamados para servir

Dios llama a todos los católicos para servir a la Iglesia. Algunos católicos ayudan en la Misa. Les dan la bienvenida a las personas. Leen la Biblia en voz alta. Dirigen el canto de las canciones sagradas. Ayudan a darle la comunión a las personas.

Otros católicos les enseñan a los niños y a los adultos acerca del amor de Dios. Comparten la Buena Nueva acerca de Jesús. Enseñan a las personas a rezar de diversas maneras.

Muchos católicos visitan a los enfermos y ayudan a los pobres. Donan dinero para ayudar a los necesitados.

A medida que creces, Dios te llama para servir a la Iglesia de maneras especiales. ¿Estarás listo para decir que sí a este llamado?

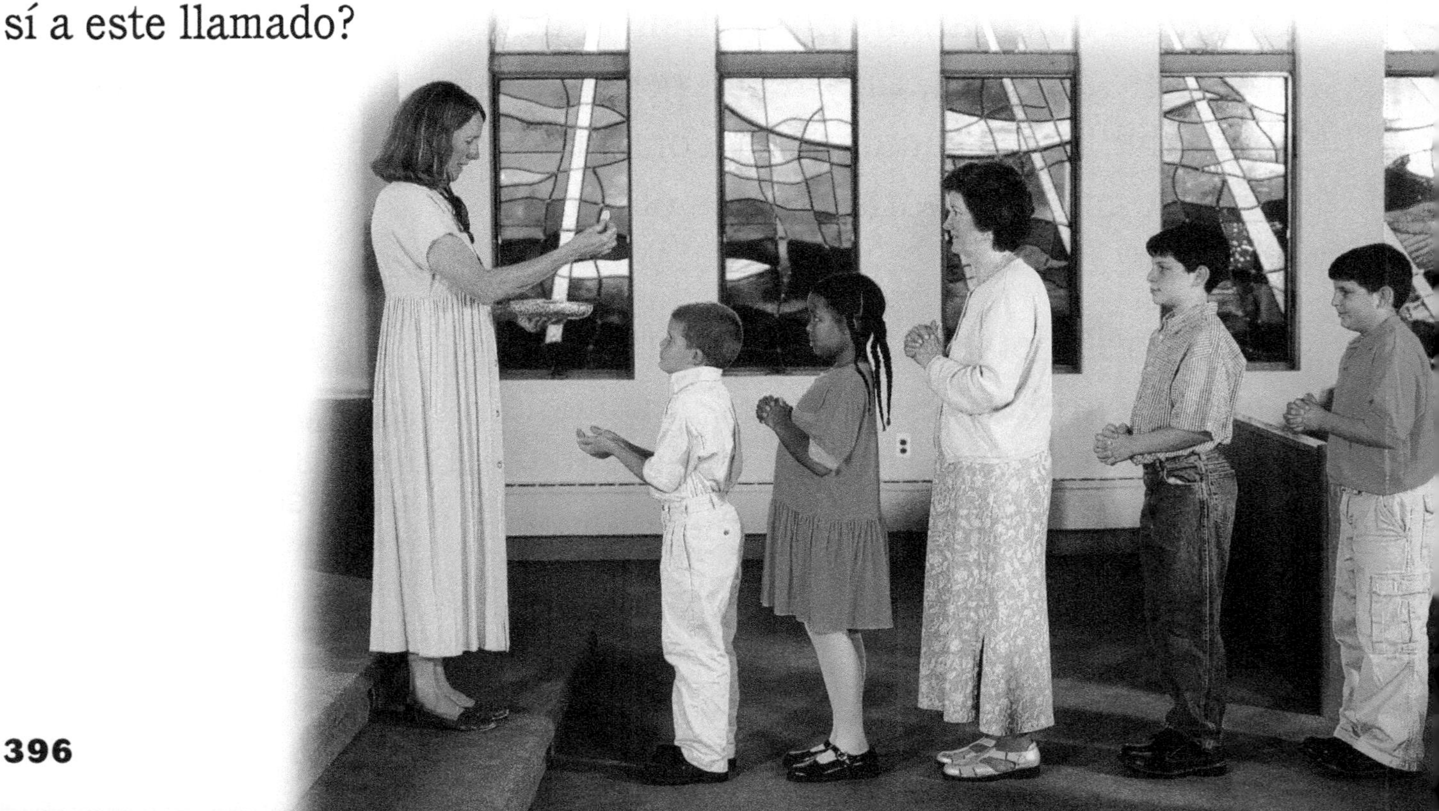

Other Calls to Serve

God calls all Catholics to serve the Church. Some Catholics help at Mass. They welcome the people. They read aloud from the Bible. They lead the singing of holy songs. They help give communion to the people.

Other Catholics teach children and adults about God's love. They share the Good News about Jesus. They teach people to pray in different ways.

Many Catholics visit the sick and help the poor. They give money to help people in need.

As you grow up, God will call you to serve the Church in special ways. Will you be ready to say yes to his call?

CÓMO REZAMOS LOS CATÓLICOS

La oración es hablar con Dios y escucharlo. Podemos rezar en cualquier lugar y en cualquier momento. Dios está en todas partes. Dios siempre escucha nuestras oraciones.

ACERCA DE LAS CLASES DE ORACIÓN

Hay muchas maneras distintas de rezar. Podemos decir en casa y en la iglesia las oraciones que aprendemos. También podemos usar nuestras propias palabras para rezar. A veces podemos sencillamente quedarnos en silencio ante la presencia de Dios. No tenemos que decir nada.

Los niños están rezando el Rosario para honrar a María.

HOW CATHOLICS PRAY

Prayer is talking and listening to God. We can pray anywhere and at any time. God is everywhere. God always hears our prayers.

There are many different ways to pray. We can say the prayers we learn at home and in church. We can use our own words to pray, too. Sometimes we can just be quiet in God's presence. We do not even have to say any words.

The children are praying the Rosary to honor Mary.

ACERCA DEL
PADRE NUESTRO

El Padre Nuestro es una oración muy especial. Jesús nos enseñó las palabras. En esta oración, Jesús nos enseña a llamar a Dios "nuestro Padre". Creemos que Dios es el Padre amoroso de todos.

Padre nuestro, que estás en el cielo, santificado sea tu Nombre;

Dios es nuestro Padre. Alabamos el santo nombre de Dios.

venga a nosotros tu reino;

Rezamos para que todos conozcan el amor de Dios y vivan en paz.

hágase tu voluntad en la tierra como en el cielo.

Rezamos para que todos obedezcan la ley de Dios.

Danos hoy nuestro pan de cada día;

Rezamos por nuestras necesidades y por las necesidades de los demás.

perdona nuestras ofensas como también nosotros perdonamos a los que nos ofenden;

Le pedimos a Dios que nos perdone cuando pecamos. Recordamos que debemos perdonar a los demás.

no nos dejes caer en la tentación,

Le pedimos a Dios que nos ayude a elegir bien.

y líbranos del mal.

Rezamos para que Dios nos proteja de que nos hagan daño.

Amén.

"Amén" significa que creemos las palabras que decimos.

The Lord's Prayer is a very special prayer. Jesus taught us the words. In this prayer, Jesus teaches us to call God "Our Father." We believe that God is everyone's loving Father.

Our Father, who art in heaven, hallowed be thy name;

God is our Father. We praise God's holy name.

thy kingdom come,

We pray that everyone will know God's love and live in peace.

thy will be done on earth as it is in heaven.

We pray that everyone will follow God's law.

Give us this day our daily bread,

We pray for our needs and the needs of others.

and forgive us our trespasses,
as we forgive those who trespass against us;

We ask God to forgive us when we sin.
We remember that we must forgive others.

and lead us not into temptation,

We ask God to help us make good choices.

but deliver us from evil.

We pray that God will protect us from harm.

Amen.

"Amen" means that we believe the words we say.

Glosario

adorar	Adorar a Jesucristo significa "venerarlo y honrarlo a Él como Hijo de Dios". (página 170)
Adviento	El Adviento es el tiempo antes de la Navidad en el que nos preparamos para recibir a Jesús en nuestra vida. (página 336)
alabanza	Una oración de alabanza celebra la bondad de Dios. (página 72)
amén	Amén significa "Sí, creo. Es verdad". A menudo decimos "amén" al final de las oraciones. (página 270)
ángel	Un ángel es un ayudante o mensajero de Dios. Los ángeles de la guarda nos protegen y nos guían. (página 150)
Bautismo	El Sacramento del Bautismo es la celebración de bienvenida a la comunidad católica. (páginas 104, 222, 224)
bendición	Una bendición es un don de Dios. También puede ser una oración que pide la protección y el cuidado de Dios. (página 50)
Biblia	La Biblia es la Palabra de Dios escrita. Dios eligió a personas especiales para que escribieran la Biblia. (página 58)
cielo	El cielo es felicidad con Dios por siempre. (página 118)
comunidad	Una comunidad es un grupo de personas unidas por un interés común. (página 30)
Confirmación	La Confirmación es el sacramento en el que el Espíritu Santo fortalece nuestra fe en Jesucristo. (página 224)
Creador	Dios hizo todo en el mundo. Dios es nuestro Creador. (página 90)
crear	*Crear* significa "hacer algo de la nada". (página 90)
cristianos	Los cristianos son las personas que aman y siguen a Jesucristo. (página 238)

Cristo	Cristo es otro nombre para Jesús. Nos dice que Él fue enviado por Dios para salvar a todos. (página 164)
Espíritu Santo	El Espíritu Santo es Dios. El Espíritu Santo nos ayuda a seguir a Jesús. (página 210)
Eucaristía	La Eucaristía es una comida especial que Jesús comparte con nosotros ahora. Recibimos el Cuerpo y la Sangre de Jesucristo. (página 164)
Evangelio	El Evangelio es la Buena Nueva de Jesús. Hay cuatro Evangelios en la Biblia. (página 192)
fe	Nuestra fe nos ayuda a creer y a confiar en Dios. (página 270)
Frutos del Espíritu Santo	Los Frutos del Espíritu Santo son signos de que el Espíritu Santo actúa en nuestra vida. Algunos de los frutos son: bondad, alegría, paz, paciencia, mansedumbre, caridad y dominio de sí mismo. (página 238)
Gloria	Gloria es una oración de alabanza a Dios. A menudo se dice o se canta en la Misa. (página 74)
gracia	La gracia es la presencia amorosa de Dios en nuestra vida. (página 104)
himno	Un himno es un canto sagrado que eleva nuestro corazón hacia Dios. (página 312)
Iglesia Católica	La Iglesia Católica es la comunidad de los seguidores de Jesús a la que pertenecemos. (página 30)
iglesia	La iglesia es el lugar especial donde los católicos se reúnen para rezar. (página 42)
Jesús	Jesús es el Hijo de Dios. (página 150)
José	José es el esposo de María y el padre adoptivo de Jesús. (página 150)

María	María es la madre de Jesús. (página 150)
Matrimonio	El Sacramento del Matrimonio celebra el amor que un hombre y una mujer sienten entre sí. (página 378)
Misa	La Misa es la celebración de la comida especial que Jesús comparte con nosotros. (páginas 42, 164)
misericordia	La misericordia de Dios es su amoroso perdón. Se nos llama a mostrar misericordia por los demás. (página 184)
misión	Nuestra misión como cristianos es amar y servir a los demás. (página 298)
Navidad	La Navidad es cuando celebramos el nacimiento de Jesús. (página 344)
oración	La oración es hablar con Dios y escucharlo. (página 72)
Orden Sagrado	El Sacramento del Orden Sagrado celebra el llamado de Dios a ser diácono, sacerdote u obispo. (página 378)
Padre Nuestro	El Padre Nuestro es la oración que Jesús nos enseñó. (página 132)
parroquia	Una parroquia es un grupo de católicos que pertenecen a la misma comunidad de una iglesia. (página 44)
paz	Vivir en paz significa "llevarse bien con los demás". (página 284)
pecado	Un pecado es la elección de hacer algo que sabemos que está mal. (página 178)
Pentecostés	En Pentecostés se celebra la venida del Espíritu Santo y el nacimiento de la Iglesia. (página 284)
perdonar	*Perdonar* significa "excusar o disculpar". (página 178)
petición	Las oraciones de petición son oraciones de súplica. Le pedimos a Dios lo que necesitamos. (página 252)

Reconciliación	La Reconciliación es el sacramento que celebra el perdón de Dios. (página 378)
sacramentos	Los sacramentos son signos especiales del amor de Dios. (página 224)
salmos	Los salmos son oraciones de la Biblia que la gente a menudo canta. (página 190)
Salvador	Nuestro Salvador es Jesús, el Hijo de Dios. Él nos ayuda y nos salva. (página 150)
santificado	La palabra *santificado* significa "santo". (página 132)
Santísima Trinidad	La Santísima Trinidad es un Dios en tres Personas: Dios Padre, Dios Hijo y Dios Espíritu Santo. (página 366)
Santísimo Sacramento	El Santísimo Sacramento es otro nombre para la Eucaristía. (página 166)
santo	Ser *santo* significa "ser como Dios". (página 118)
santos	Los santos son personas especiales que vivieron una vida santa. La vida de un santo nos muestra cómo seguir a Jesús. (página 374)
servir	*Servir* significa "ayudar a los demás". (página 298)
tabernáculo	Un tabernáculo es un recipiente en la iglesia donde se guarda el Santísimo Sacramento. (página 164)
Templo	El Templo era un edificio especial en Jerusalén. Jesús rezaba en el Templo y aprendía acerca de Dios. (página 190)
Última Cena	La Última Cena es la comida especial que Jesús compartió con sus amigos. Jesús les dio el don de sí mismo. (página 164)
Unción de los Enfermos	La Unción de los Enfermos es el sacramento que da la paz de Cristo a los enfermos. (página 378)

Glossary

adore To adore Jesus Christ means "to worship or honor him as the Son of God." (page 171)

Advent Advent is the time before Christmas when we get ready to welcome Jesus into our lives. (page 337)

Amen Amen means "Yes, I believe. It is true." We often say "Amen" at the end of prayers. (page 271)

angel An angel is a helper or a messenger from God. Guardian angels protect and guide us. (page 151)

Anointing of the Sick Anointing of the Sick is a sacrament that brings the peace of Christ to people who are sick. (page 379)

Baptism The Sacrament of Baptism is a celebration of welcome into the Catholic community. (pages 105, 223, 225)

Bible The Bible is the written Word of God. God chose special people to write the Bible. (page 59)

Blessed Sacrament The Blessed Sacrament is another name for the Eucharist. (page 167)

blessing A blessing is a gift from God. It can also be a prayer that asks for God's protection and care. (page 51)

Catholic Church The Catholic Church is the community of Jesus' followers to which we belong. (page 31)

Christ Christ is another name for Jesus. It tells us that he was sent by God to save all people. (page 165)

Christians Christians are people who love Jesus Christ and follow him. (page 239)

Christmas Christmas is the time when we celebrate the birth of Jesus. (page 345)

church A church is a special place where Catholics come together to pray. (page 43)

community	A community is a group of people who belong together. (page 31)
Confirmation	Confirmation is the sacrament in which the Holy Spirit makes our faith in Jesus Christ stronger. (page 225)
create	To create means "to make something out of nothing." (page 91)
Creator	God made everything in the world. God is our Creator. (page 91)
Eucharist	The Eucharist is a special meal that Jesus shares with us today. We receive the Body and Blood of Jesus Christ. (page 165)
faith	Our faith helps us believe and trust in God. (page 271)
forgive	To forgive means "to excuse or to pardon." (page 179)
Fruits of the Holy Spirit	The Fruits of the Holy Spirit are signs that the Holy Spirit acts in our lives. Some fruits are love, joy, peace, patience, gentleness, kindness, and self-control. (page 239)
Gloria	The Gloria is a prayer of praise to God. It is often said or sung at Mass. (page 75)
Gospel	The Gospel is the Good News of Jesus. There are four Gospels in the Bible. (page 193)
grace	The gift of grace is God's loving presence in our lives. (page 105)
hallowed	The word hallowed means "holy." (page 133)
heaven	Heaven is happiness with God forever. (page 119)
holy	To be holy means "to be like God." (page 119)
Holy Orders	The Sacrament of Holy Orders celebrates God's call to become a deacon, priest, or bishop. (page 379)

Holy Spirit	The Holy Spirit is God. The Holy Spirit helps us follow Jesus. (page 211)
Holy Trinity	The Holy Trinity is one God in three Persons—God the Father, God the Son, and God the Holy Spirit. (page 367)
hymn	A hymn is a holy song that lifts our hearts to God. (page 313)
Jesus	Jesus is the Son of God. (page 151)
Joseph	Joseph is Mary's husband and the foster father of Jesus. (page 151)
Last Supper	The Last Supper is the special meal that Jesus shared with his friends. Jesus gave them the gift of himself. (page 165)
Lord's Prayer	The Lord's Prayer is the prayer that Jesus taught us. (page 133)
Mary	Mary is the mother of Jesus. (page 151)
Mass	The Mass is the celebration of the special meal that Jesus shares with us. (pages 43, 165)
Matrimony	The Sacrament of Matrimony celebrates the love that a man and woman have for each other. (page 379)
mercy	God's mercy is his loving forgiveness. We are called to show mercy to others. (page 185)
mission	Our mission as Christians is to love and serve others. (page 299)
parish	A parish is a group of Catholics who belong to the same church community. (page 45)
peace	To live in peace means "to get along with others." (page 285)
Pentecost	Pentecost celebrates the coming of the Holy Spirit and the birthday of the Church. (page 285)

petition	Prayers of petition are asking prayers. We ask God for the things we need. (page 253)
praise	A prayer of praise celebrates God's goodness. (page 73)
prayer	Prayer is listening to and talking to God. (page 73)
psalms	Psalms are prayers from the Bible that people often sing. (page 191)
Reconciliation	Reconciliation is the sacrament that celebrates God's forgiveness. (page 379)
sacraments	The sacraments are special signs of God's love. (page 225)
saint	A saint is a special person who lived a holy life. The life of a saint shows us how to follow Jesus. (page 375)
Savior	Our Savior is Jesus, the Son of God. He helps us and saves us. (page 151)
serve	To serve means "to help other people." (page 299)
sin	A sin is a choice to do something that we know is wrong. (page 179)
tabernacle	A tabernacle is a container in church where the Blessed Sacrament is kept. (page 165)
Temple	The Temple was a special building in Jerusalem. Jesus prayed in the Temple and learned about God. (page 191)

Índice

Index

La Tierra Santa en la época de Jesús
The Holy Land in the Time of Jesus

N
W
E
S

Mar Mediterráneo
Mediterranean Sea

GALILEA
GALILEE

Mar de Galilea
Sea of Galilee

Nazaret
Nazareth

SAMARIA

Río Jordán
River Jordan

Jericó
Jericho

Huerto de Getsemaní
Garden of Gethsemane

Jerusalén
Jerusalem

Belén
Bethlehem

Mar Muerto
Dead Sea

JUDEA

A África
To Africa